P9-CEQ-546

LA PRÉFÉRENCE NATIONALE

Du même auteur

L'eau multiple, nouvelle,
revue Présence Africaine n° 161/162

Les loups de l'Atlantique, nouvelle,
in Nouvelles voix d'Afrique, Hoëbecke

Le Ventre de l'Atlantique
Éditions Anne Carrière

ISBN : 2-7087-0722-1
© Éditions Présence Africaine, 2001

Droits de reproductions, de traduction, d'adaptation réservés pour tous pays. La loi du 11 mars 1957 n'autorisant, aux termes des alinéas 2 et 3 de l'article 41, d'une part, que les « copies ou reproductions strictement réservées à l'usage du copiste et non destinées à une utilisation collective » et d'autre part, que « les analyses et les courtes citations dans un but d'exemples et illustrations », toute représentation ou reproduction intégrale ou partielle, faite sans le consentement de l'auteur ou de ses ayants droit ou ayants cause est illicite (alinéa 1er de l'article 40). Cette représentation ou reproduction, par quelque procédé que ce soit, constituerait donc une contrefaçon sanctionnée par les articles 425 et suivants du code pénal.

Fatou Diome

LA PRÉFÉRENCE NATIONALE
ET AUTRES NOUVELLES

6e édition

PRÉSENCE AFRICAINE
25 bis, rue des Écoles 75005 Paris

À mes grands-parents
qui m'ont donné une barque pleine de pagaies
et montré l'océan de la vie.
Sur les bords qu'ils ne verront jamais,
j'inscrirai leur nom :
Aminata et Saliou Sarr.

Et à ma mère

PRÉFACE

Itinéraire de femme

L'Afrique et la France constituent le cadre des nouvelles de Fatou Diome. Son art de la narration relève d'un usage du conte tel qu'il se pratique dans la vie africaine contemporaine. Ses nouvelles présentent les aventures d'une femme qui émerge à une liberté affirmée après un itinéraire douloureux.

La vie en Afrique où elle a vécu nous est dépeinte avec une distance ironique. Elle nous montre la bêtise humaine, les violences exercées sur les enfants, la lubricité de l'homme combinée à l'autoritarisme que favorisent la tradition et la pauvreté.

La vie en France, est évoquée avec vigueur. L'auteur retrace le parcours d'une étudiante sans autre ressource financière que ses maigres gages de domestique et en profite pour faire la critique du racisme ordinaire de cette catégorie d'employeurs, souvent peu cultivés mais arrogants qui exploitent de moins nantis qu'eux.

Fatou Diome, qui prend plaisir à décrire la bêtise humaine, produit des textes attachants par l'expérience directe des choses sereinement assumée, par le courage de se révéler et par l'énergie des positions affirmées. La manière de prendre le rôle du conteur, son sens du concret et son goût de la simplicité dans l'écriture augurent, à coup sûr, un grand talent d'écrivain.

Paris, le 15 juin 2000
Madior DIOUF

La mendiante et l'écolière

Quelques graines brunies. Des cacahuètes entassées, groupées, dont une main venait déranger le repos pour les verser dans un cornet où elles tombaient, lisses comme des jours précipités par la vie dans l'entonnoir du temps.

Encore un cornet, puis un autre. La main experte les façonnait sans même solliciter l'aide de l'œil. Les doigts de cette main étaient rabougris, gercés, durs et tremblotants. Un muscle torturé partait de l'avant-bras et se dissimulait dans le pouce pour en ressortir, force, tel un lacet invisible qui imposait au papier sa forme finale de cornet. Un autre muscle partait de l'intérieur du coude et longeait le biceps duquel il menaçait de surgir. Il s'arrêtait juste en dessous d'un autre muscle qui s'alliait avec une grosse veine pour former un rail incrusté dans le cou et qui trouvait son terminus sous l'auvent de la mâchoire gauche de Codou.

Le stock de papier se composait de cahiers d'écolier usagés. Avant de devenir cornet, chaque feuille subissait deux opérations : d'abord, deux cuisses serraient le reste du cahier et laissaient sortir une feuille dressée telle une lame vers le ciel, une main prompte tirait dessus pour l'arracher. Ensuite, l'étau lâchait le cahier, se resserrait et devenait une planche de travail. Un moignon y coinçait la feuille, qu'une main lissait un peu, puis y versait un gobelet de cacahuètes, avant de la rouler sur elle-même et d'en rabattre l'extrémité.

Lorsqu'il ventait, les feuilles arrachées s'envolaient. La vieille Codou courait les rattraper alors qu'elles tournoyaient encore dans la cour ; certaines fois, elle devait les arracher à la clôture de bambou où elles allaient se tapir. Mais il arrivait que des feuilles empreintes d'humanisme s'en aillent souffler sur les plaies encore saignantes qui menaçaient de laisser sur le voisinage des moignons et des yeux clos à jamais. La vieille Codou habitait le quartier des lépreux avec son fils Diokéle déformé par la poliomyélite. Quant à Guignane, son mari, il avait les yeux percés par les flèches de la lèpre venue des grandes villes.

Son nez était délimité par deux orbites vides d'où suintaient des larmes blanchâtres, qui charriaient la poussière journalière dont il ne se débarrassait plus. Depuis que la lèpre lui avait volé la lumière, le vieux Guignane, accroché à sa canne, arpentait les rues de Foundiougne en psalmodiant : *Nguir yalla, sarakhéléne, nguir yalla* — Par la grâce du Seigneur, donnez l'aumône au nom du Seigneur. Chaque fois qu'on lui glissait une pièce, un bout de pain, une poignée de riz ou de mil, il se répandait en bénédictions, et prédisait à la belle âme le plus confortable des sept paradis de Mahomet.

C'est lui qui avait attrapé, le premier, la maladie-mange-corps. Lorsqu'on l'avait mis en quarantaine, Codou, en épouse dévouée, l'avait accompagné et soigné sans penser à la contagion. *Je n'ai pas peur*, avait-elle coutume de répondre aux multiples mises en garde, *c'est Dieu l'unique qui décide pour nous.*

Et Dieu avait décidé : la lèpre avait mangé sa dextre qui, parée de la foi, avait amoureusement épongé la crue infestée des yeux de Guignane.

Avec une main en moins, Codou ne pouvait plus couper ce bois qu'elle vendait au marché, et au moyen duquel elle faisait cuire les maigres poissons que les pêcheurs cédaient à son cultivateur de mari en échange de quelques mesures de mil. D'ailleurs, le vieux Guignane ne gardait plus de ses champs que l'image incertaine d'un tableau d'automne tapie dans sa mémoire. En perdant la vue il avait anticipé sa retraite agricole, et ne tirait plus sa pitance que de ses trémolos qui sillonnaient Foundiougne. Aussi donna-t-il à son épouse quelques leçons qui firent d'elle en très peu de temps une experte-mendiante.

Elle entrait dans les maisons, faisait des haltes régulières de cinq minutes. Dotée d'une belle voix, elle entonnait d'abord des chants religieux qui rendaient les promesses divines aussi indubitables que possibles, et terminait par des chants profanes destinés à chatouiller la sensibilité des habitants. Elle relatait l'étendue de son drame que Dieu pouvait, disait-elle, mettre sur des épaules de son choix. Codou poussait l'alto au maximum, et rendait la chute si douce qu'elle faisait frissonner les âmes les plus souterraines. L'une de ses chansons qui délaçaient les bourses disait :

Walaye walaye soumako walaye
Yalla ma nattou ma dik di yélwane
Walaye walaye Soumako walaye
Yalla bima binde moye séne boroom

Walaye walaye soumako walaye
Yalla kouko nékh mou tëgko ndogalame...

Ce qui signifie :

Je vous le jure au nom d'Allah
Dieu m'a éprouvée et je viens mendier
Je vous le jure au nom d'Allah
Mon créateur est aussi le vôtre
Je vous le jure au nom d'Allah
Dieu éprouve l'être de son choix...

Certains qui se laissaient gagner par la sollicitude, et d'autres motivés par le désir de se protéger contre les foudres divines, donnaient à Codou des pièces et des denrées courantes. Tous priaient auparavant pour que leur offrande soit dépositaire de leurs soucis les plus divers et que les malheurs, épargnant les leurs, aillent s'abattre sur la bénéficiaire des dons. Par mesure prophylactique, certains, à la veille d'événements importants de leur vie, allaient même jusqu'à chercher la vieille Codou pour lui faire des dons plus conséquents et conjurer le sort. Dans cet univers si profondément niché dans la superstition, personne ne lui accordait la moindre valeur sociale, mais sa fonction cathartique était des plus importantes. Tel un aimant enfoui dans le sable d'une vieille forge, Codou ramassait les déchets de la société. Ainsi s'écoulait sa vie de mendiante.

Assise sur son banc, le coude sur la cuisse, le cou projeté en avant et le menton appuyé au creux de son unique main, Codou attendait. Son grand panier presque vide signalait une matinée juteuse. Ses cacahuètes s'étaient bien vendues, mais elle était encore là, seule et immobile.

Dans ce silence de l'attente, les yeux de Codou étaient grand ouverts. La lumière de son regard posé sur une vitre cassée de la façade du collège semblait se réfléchir et se transformer au fond d'elle en une torche qui éclairait, par petits bouts, sa vie d'avant son commerce de cacahuètes. Les mâchoires serrées, elle crut entendre sa belle voix, que tous les quartiers environnants appréciaient, et qui lui arrachait un morceau de sa dignité à chaque fois qu'elle poussait un de ses chants de lamentation. Elle fit un mouvement, comme pour enrayer un mauvais disque trop souvent entendu.

Pourtant, même si sa mémoire la prenait parfois par le cœur pour l'amener vers ses souvenirs, Codou était heureuse de les voir glisser doucement dans le clepsydre du temps. Ce qui ne la quittait plus, c'était cette humilité des malheureux qui ont su combattre l'amertume.

Installée sur le seuil de sa maison, Codou faisait face au collège qui lui fournissait une fidèle clientèle. À la récréation et à midi, les collégiens accouraient. Pour beaucoup d'entre eux, ces arachides brunies étaient le seul goûter. Codou était toujours là. On l'y voyait encore après que le grand panier avait vu son dernier cornet s'envoler. Elle attendait. Dans un petit panier soigneusement placé sous son banc, un carnet à carreaux dissimulait deux cornets de cacahuètes plus volumineux que ceux mis en vente. Codou les tâtait par moment, et attendait encore.

Le flot des collégiens coulait vers l'artère principale de la ville et m'entraînait avec lui. La masse était épaisse. Une vue aérienne du groupe aurait permis d'imaginer des boules de cire noire que le soleil faisait fondre dans un même moule. Une calebasse jetée sur la foule ne se serait pas fracassée au sol, tant les têtes étaient proches. Un effet d'optique les projetait dans un mouvement ondulatoire similaire à celui des vagues déferlant sur la plage. Mais toutes les terres ne se baignent pas dans les mêmes eaux, et cette fusion apparente n'était qu'illusion, car même dans un troupeau chaque zèbre garde ses rayures.

Les tenues laissaient supposer les filiations : ceux habillés en robes, en jupes, en pantalons et chemises prêts-à-porter étaient les enfants de fonctionnaires et d'autres intellectuels. Quant aux costumes locaux, taillés dans du basin ou du wax par les couturiers de la ville, ils enveloppaient la progéniture des commerçants et des notables. Ces derniers étaient souvent des chefs religieux qui non contents de la première place qu'ils s'étaient attribués auprès de Dieu, tenaient à préparer leurs rejetons à la conquête de la scène politique et économique. Les CV ne voulaient encore rien dire pour nous, mais les plis des vêtements étaient des rebords de cartes de visite.

Dans mon short en jean et mon T-shirt multicolore, débusqués aux puces, je regrettais l'époque où Senghor avait institué l'uniforme à l'école : short et chemise pour les garçons, robe boutonnée pour les filles, le tout dans un coton bleu océan. Aujourd'hui, les canards ne se mêlent plus à la danse des paons.

À quelques mètres du collège, le défilé commença à se disperser. Les plus pressés savaient qu'un repas copieux les attendait. Je jetai un coup d'œil à gauche. La boulangerie était encore ouverte sur la petite place d'où l'odeur du *thiéboudjène* avait chassé les derniers joueurs de dames au moment même où la cloche éventrait le collège. Je bifurquai comme d'habitude à droite, vers la maison de Codou. Des voix dont je maudis encore les propriétaires se levèrent en chœur.

— Regardez la première de la classe avec ses sandales trouées ! wouh ! Elle va chez *couddou* la lépreuse ! Si tu chopes la lèpre emmène-la dans ton village ! wouh !

C'étaient les enfants du docteur et leurs groupies, les seuls qui n'achetaient jamais les cacahuètes de Codou. Ils déformaient délibérément le prénom de la marchande en Couddou : cuillère ou louche en wolof. C'était une allusion à sa main orpheline, hypertrophiée et comme incurvée à force de satisfaire seule à toutes les tâches, cette même main qu'elle tendait devant elle, comme pour jauger le gouffre de son malheur, à l'époque de sa mendicité. Je me retournai et leur fis un bras d'honneur avant de poursuivre mon chemin.

Je marchais. Le soleil se livrait à un strip-tease qui ne faisait bander que la mosquée. Ma tête n'était plus qu'une cocotte-minute. Des opérations mathématiques, sans résultats, mijotaient dans mon cerveau liquéfié. Je calculais en francs CFA. Les résultats? Un résultat! Effrayant.

50 x 99 = 4 950

5 000 — 4 950 =..

Je me trouvai en face de Codou avant d'avoir trouvé le résultat.

— Enfin te voilà, petite, dit-elle, affable; j'ai fini plus tôt que d'habitude. Je t'attendais. Voilà tes trente francs, cours acheter ton pain avant que la boulangerie ne ferme, acheva-t-elle, faussement autoritaire, sans me laisser le temps de lui dire bonjour.

Pendant qu'elle parlait, je fouillais dans mon sac. Je le portais en bandoulière. Il était incroyablement profond. Ma grand-mère avait passé une soirée entière à le coudre. Des restes d'un vieux drap de tergal, elle avait réussi à faire cette besace qui me servait à la fois de sac de voyage et de sac d'école.

— Que cherches-tu? m'interrogea Codou.

— Mon stylo, pour noter les 50 F d'aujour-d'hui : 30 F pour le pain et 2 x 10 F pour les deux cornets de cacahuètes, comme d'habitude quoi, répondis-je la main toujours plongée dans la housse qui m'arrivait aux genoux.

— La boulangerie va fermer petite, reprit Codou, va, je t'attends, on verra ça après. »

Je pris les 30 F et hâtai le pas.

À l'aller comme au retour, je repensais à ma rencontre avec Codou. Nos destins, tels des bras de mer nés de sources opposées, s'étaient rencontrés et tourbillonnaient ensemble en attendant de poursuivre leurs trajets respectifs vers des destinations que seul le hasard déterminerait. Ce même hasard qui avait voulu que mon collège fût construit dans la ville de Codou et non dans mon village.

J'avais connu Codou mendiante. Si ses chants, qui jouaient sur la foi et la crise de conscience, arrivaient à extorquer aux Foundiougnois quelques maigres dons, Codou n'était pas sans savoir que son principal ennemi était l'indifférence qu'engendre la routine, de sorte qu'elle sillonnait les différents quartiers à tour de rôle en variant ses horaires. Aussi ses passages chez moi étaient-ils toujours imprévisibles. Venue des îles du Saloum, j'étais hébergée chez une famille polygame. La grandeur du chef des lieux se mesurait au nombre de bouches affamées qui l'entouraient : deux femmes et dix-huit enfants parqués dans trois chambres et un salon. Si le pelage dissimulait l'échine décharnée des trois moutons qui broutaient le sable de la cour, les os des humains avaient perdu toute discrétion et semblaient accuser le ciel. Aussi les vivres que ma grand-mère envoyait régulièrement étaient-ils absorbés aussi vite qu'une larme versée à midi sur le désert du Chinguetti.

Aux heures de repas, malheureux étaient les derniers à s'installer autour du bol de Cérès, large et plat, toujours aux trois quarts vide. Non seulement ils avaient du mal à faire passer leur main, mais celle-ci, une fois dans le récipient, ne rencontrait plus que les reliefs du repas et, parfois, la tête d'un poisson qui avait gardé ses yeux ouverts pour observer la détresse des visages, dont la disposition circulaire formait un zéro.

De cette demeure, Codou partait souvent bredouille. Elle savait pourtant que les morts ne paient pas d'impôts, et que la zakaat ne sort pas d'un grenier vide. Mais ses misérables pieds qui suivaient le sillage de l'espoir avaient mémorisé les bornes de ses haltes.

Mon collège était situé à trois kilomètres du domicile de mes hôtes. Dès la fin du premier mois, j'avais renoncé à la course aux premières bouchées. À midi, feignant de rentrer, pour éviter les questions du surveillant général, je sortais avec la foule et m'en détachais quelques ruelles plus loin. Je revenais au collège par un détour après avoir acheté des cacahuètes et un bout de pain.

Mordre, mastiquer le pain, puis les cacahuètes jetées une à une dans un panier de basket, la bouche, en marchant. Heureuse de les gober, de les malaxer avec le pain. La salive ? Abondante. Un goût de chocolat salé, de survie. Déçue, comme une basketteuse qui rate un panier, lorsqu'une cacahuète déviait de la trajectoire du mixeur et se retrouvait dans le sable. Je la ramassais, l'essuyais. L'arbitre siffle : lancé franc. Le panier est marqué. Le jeu, le repas continue. Une bouchée de pain, une cacahuète, une bouchée de pain, deux cacahuètes, une bouchée de pain trois cacahuètes, plus de pain, une cacahuète, une cacahuète... L'arbitre siffle. C'est le dernier panier.

Une bonne gorgée d'eau à la fontaine de l'établissement et mon ventre cessait de me donner des ordres. Allongée sous un arbre de la cour déserte, j'apprenais mes leçons en attendant les cours de l'après-midi. Mais cette maigre quiétude s'effrita très vite.

Un soir, je trouvai ma vieille valise en carton sens dessus dessous. Les quelques billets que j'y avais enfouis n'y étaient plus. La promiscuité rendait l'enquête impossible, mais je ne pouvais me résoudre à laisser mes quelques sous disparaître comme un verre d'eau dans un bac à fumier. Ils étaient encore humides de ma sueur estivale. Pendant que les touristes s'inquiétaient de la qualité de leur bronzage, j'étais employée comme bonne-petites-mains dans une famille dakaroise. Il fallait beaucoup de sueur pour désaltérer l'année scolaire.

Le lion se désaltère du sang des biches, et les lionceaux lèchent l'herbe ensanglantée. Je questionnai donc les six enfants les plus âgés. Ils crièrent à l'injure : accusation déshonorante. Après le repas, le lion se pourlèche les babines. Le père imagina pour ma correction une torture digne d'un bagne. Il me fit tendre par quatre : j'étais suspendue à plus d'un mètre du sol. Ses sbires, ses quatre garçons les plus âgés s'étaient disposés à l'instar des quatre points cardinaux et s'étaient partagé mes membres pour me soulever. Le patriarche, debout, dominait la planche aérienne que j'étais devenue. Du haut de sa taille de géant, il prenait son élan pour asséner des coups sur mes fesses et mon dos avec un nerf de bœuf. Mes cris n'avaient pas dérangé le reste de la maisonnée. Les épouses, malgré mes appels nominatifs, n'étaient pas venues à mon secours. Moi qui comptais sur leur fibre maternelle protectrice, je compris vite qu'au royaume de la polygamie on ne tire pas sur la barbe de Dieu.

Je fus réveillée par les morsures de mes genoux ensanglantés. Les sbires, à la fin de la correction, m'avaient certainement jetée sur le béton. Lorsque j'ouvris les yeux, je me rendis compte de la pesanteur du silence. Tout le monde dormait, mais le chef de famille était assis sur un banc en face de moi. Mon évanouissement l'avait obligé à me veiller. Il n'avait pas rabattu les lambeaux de ma chemise sur les chairs boudeuses de ma poitrine, qui semblaient vouloir le pousser hors de l'univers. En un mouvement de ciseaux, mes avant-bras sectionnèrent là où son être se confondait avec la trajectoire de son regard. La voix a la couleur du sang. Le patriarche saigna :

— Je t'ai battue pour l'exemple, dit-il. Puis éliminant quelques octaves il ajouta : c'est moi qui ai pris ton argent. Comment une enfant comme toi peut-elle se permettre de garder 2 000 F sans les confier à un adulte ? Ainsi tu avais ta petite réserve secrète ! »

Une moue féroce accompagna sa dernière phrase. Il avait découvert le mystère de mes journées entières au collège. Et j'attendais la sentence qui ne tarda pas à s'abattre :

— Désormais, tu viendras tous les matins dans ma chambre et je te donnerai juste ce qu'il te faudra. »

Il se leva, recentra sa tête entre ses épaules, me regarda de biais, se passa la langue sur les lèvres et susurra avant de s'en aller :

— N'oublie pas que la main qui sait battre sait aussi caresser. »

Le lendemain matin, avant d'aller à l'école, je frappai à sa porte. Il m'autorisa à entrer.

— Bonjour Pa-Dioulé, dis-je, j'ai besoin de 50 F »

Il était assis sur le bord de son lit. Son caftan débordait sur ses chevilles. Son porte-monnaie était en évidence sur une petite table à côté de la porte. Il me demanda de le lui donner. Dès que je le lui tendis, il agrippa mon poignet et souleva son caftan. Il était nu dessous, une pièce de monnaie posée sur sa verge. Sa gorge laissa échapper une voix épaisse et gluante que je ne lui avais jamais connue :

— Regarde, lui aussi a besoin de quelque chose ce matin, après je te file ta pièce, viens, viens, chuuuuut ! »

Je me débattis comme une carpe dans un filet. La peur m'avait rendue aphone. Mais la soudaine géométrie de ma bouche qui traduisait l'imminence d'un cri fit hésiter le patriarche. L'étau se desserra et un vif mouvement me projeta contre la porte à moitié ouverte.

Dans ma course j'avais renversé un petit panier. Son contenu : deux petites mangues d'un vert noirâtre entre lesquelles se trouvait une banane trop mûre à la peau flétrie. Je ne suis plus jamais retournée dans la chambre de Pa-dioulé, ni pour voir ce qu'étaient devenus ses fruits trop mûrs, ni pour réclamer mes sous.

Tels des égouts dans les souterrains d'une ville, ces souvenirs déferlaient en moi. Avec eux, j'avais stagné à peu de distance de la boulangerie, et tournais maintenant autour d'un tas d'immondices déposées là par les ménagères du quartier. Lorsque je repensai à ma course, la boulangerie avait déjà fermé ses portes. Je fis demi-tour. La vieille Codou devait s'impatienter. Puis il y avait le calcul, les chiffres que je devais consigner dans notre petit carnet.

99 x 50 = 4 950. Oui, j'en étais là. La vieille Codou ne me devait plus que 50 F : les deux cornets de thiaf et les 30 F pour le pain, un déjeuner, celui du lendemain.

Ma relation financière avec Codou avait démarré quelques semaines après mon dépouillement par le patriarche, qui croyait avoir saisi la totalité de mon pécule.

C'était ignorer mes origines Niominka.

Les *Sérères Niominka* ne mettent jamais toute leur récolte dans le même grenier ; celui de la maison est toujours moins rempli que celui caché dans la brousse. Ce que Pa-dioulé considérait comme une bonne prise n'était que la queue du poisson. L'essentiel était ailleurs.

En effet, j'étais arrivée à Foundiougne avec une somme de 7 500 F dans ma besace. Les premiers jours de ma scolarité, je les gardais sur moi, dans une chaussette, une poche de jean, ou attachés dans le pan d'un pagne. Cela me gênait beaucoup, surtout à la gym où mon regard ne cessait de guetter les vestiaires. Fatiguée de cette vie de convoyeur, j'avais décidé de répartir mes fonds entre deux caches. J'enfouis alors 5 000 F, préalablement emballés dans un sachet plastique et glissés dans une petite bouteille de lait vide, au pied du grand arbre au milieu de mon collège. Le petit trésor découvert au fond de ma valise me servait, jusqu'alors, de réserve de proximité.

Un jour la vieille Codou, fidèle à ses variations horaires, avait choisi de se présenter tôt le matin chez mes hôtes. Ses chants adoucirent les premiers rayons du soleil. Mais au bout d'un moment, elle sortit chargée de son ombre et prit la direction de la rue principale qui mène au collège. Sa démarche était peu volontaire. Elle semblait déployer un effort surhumain pour pousser sa misère devant elle. Et comme je partais à l'école, je la rattrapai très vite.

— Bonjour mame Codou, lui dis-je.

— Bonjour ma fille, dit-elle, l'aumône ne donnera pas la clef du paradis à tes hôtes, ajouta-t-elle plaintive avant de poursuivre véhémente : ils sont plus avares que le squelette de leur premier ancêtre et ils portent un bois de teck à la place du cœur ; dire que je me rabaisse à chanter pour eux ! » Je n'étais pas loin de penser comme elle, et ses mots n'avaient fait que circonscrire le drap noir que cette famille posait peu à peu sur mon humeur.

En effet, comme je ne rentrais toujours pas à midi, les questions du patriarche soupçonneux se faisaient de jour en jour plus pressantes. Il avait deviné que je me contentais d'un casse-croûte en guise de déjeuner. Il supputait donc que j'avais encore de l'argent. Et tandis que Codou s'ingéniait à lui soutirer une improbable aumône, moi je m'essorais la cervelle pour trouver le moyen de soustraire à sa rapacité le reste de mon pécule. C'est alors que j'imaginai de faire alliance avec Codou.

Foundiougne était le centre actif d'une région agricole. Les paysans y venaient vendre leur récolte d'arachides, ce qui rendait le commerce des cacahuètes florissant : il suffisait d'avoir du bois, du sel et un peu d'argent pour y participer. Comme Codou ne manquait que de ce dernier élément, je proposai de lui prêter mes 5 000 F avec lesquels elle achèterait deux sacs d'arachides au marché pour apprêter les cacahuètes. Quant au point de vente, il était tout trouvé puisque Codou habitait en face du collège, il lui suffisait de se tenir devant chez elle pour intercepter la clientèle captive des collégiens dont l'unique goûter, souvent, consistait en un cornet de cacahuètes.

Pour le remboursement, nous avions passé un contrat oral : il était convenu qu'elle me donnerait tous les jours de classe, à l'heure du déjeuner, deux cornets de cacahuètes pour la contre-valeur de 20 F, plus trois pièces de 10 F pour l'achat d'un quart de pain. Dès que Codou eut commencé son petit commerce, je lui laissai un carnet où je consignais soigneusement le montant versé ainsi que la valeur restante. Avec ses petits bénéfices, Codou nourrissait sa famille ; elle avait même réussi à renouveler son stock d'arachides et sa mendicité n'était plus qu'un triste souvenir.

Je marchais. 4 950 F, me répétais-je, après-demain ça fera 5 000 F de remboursement. C'est la fin, oui, la faim. J'étais presque contente en arrivant chez Codou de n'avoir pu acheter mon

quart de baguette. Les 30 F rescapés me feraient
encore trois cornets de thiaf.

— Mais où est ton pain, me questionna Codou.

— La boulangerie est fermée, dis-je.

— Oh petite, dit-elle navrée, il fallait hâter le
pas, tu es toujours rêveuse. Tiens voilà tes deux
cornets de thiaf, et un troisième pour compenser
ton bout de pain; mais ne le compte pas, je te
l'offre.

— Où est le carnet, lui demandai-je après
l'avoir remerciée, je vais noter les 20 F d'aujour-
d'hui et je te rends les 30 F du pain pour...

— Ne t'en fais pas petite, on ne note rien
aujourd'hui, reprit-elle fermement.

— Mais si mame Codou, rétorquai-je,
d'ailleurs dans deux jours tu ne me devras plus
rien. Tu m'as déjà rendu 50 F x 99 moins les 30 F
du pain ce qui fait...

— Arrête donc petite, dit-elle en faisant de sa
main incurvée une béquille pour sa voix, je ne sais
ni lire ni écrire, mais je sais combien ça fait. Sache
qu'il y a des choses que l'école des Blancs ne
t'apprendra jamais à évaluer. Et puisque personne
n'a inventé une mesure pour l'amitié, tes cornets
de cacahuètes et tes sous pour le pain t'attendront

toujours chez moi. À demain petite, je ferai de
beaux cornets de thiaf avec notre petit carnet. »

Mariage volé

Les paupières de ses grands yeux n'étaient pas alourdies par la torpeur de l'après-midi. Il était debout de biais. Son grand corps prenait appui sur la clôture de la mairie et tout son être semblait retenir le voile atmosphérique saturé et pesant de la saison sèche. Les caélcédrats étaient presque desséchés. Le goudron miroitait dans sa fonte rituelle. De jeunes campagnards qui avaient déserté la brousse portaient leur unique bien sur la tête, une glacière. Ils vantaient la qualité de leurs glaces aux passants et traînaient dans leurs hardes la misère qu'ils pensaient quitter en venant à Dakar. Ils se faufilaient entre les voitures, les klaxons retentissaient et leurs auteurs étaient poursuivis par la clameur de quelques phrases obscènes. Ces petits vendeurs étaient tous les jours debout devant la mort, poussés par cette soif de vivre qui n'est donnée qu'à ceux qui n'ont rien.

Le jeune homme les regardait sans les voir. Lui était venu de sa petite ville la veille, pour une raison moins existentielle. Il était venu pour *LE* mariage. Il allait commencer l'année par un mariage. Son visage était sérieux.

Une belle voiture japonaise blanche entra dans la cour de la mairie. Le conducteur descendit, fit le tour de la voiture, ouvrit la portière arrière droite et, à la façon des hommes galants et raffinés, il aida la future mariée à descendre.

La foule de parents, d'amis et de relations cordiales qui s'était jusqu'alors divisée en petits nids d'affinités se redressa d'un seul mouvement pour s'agglutiner vers l'entrée de la salle des mariages tout en admirant la future mariée. Il y avait des blancs et des noirs, des chrétiens et des musulmans, des Européens, des Sénégalais et aussi des Américains. Les multiples couleurs des vêtements faisaient penser à un patchwork géant. Le plus extraordinaire était ce battement synchronisé des cœurs remplis par l'aura d'une union. Si vraiment Dieu est partout, il a dû penser ce jour-là que sa création était parfaite.

Mais si les yeux de chacun se confondaient avec ceux de son voisin, un jeune homme dans l'assistance avait les siens propres. La masse berçait sa solitude. Son cœur battait à côté des autres mais non à l'unisson, car son rythme à lui défiait toute concurrence. Il avait quitté son point d'appui, la grille compréhensive qui avait soutenu, durant l'attente de la princesse du jour, son corps d'athlète, souple et svelte. Il était sobre mais élégant, n'eût été ces quelques centimètres de trop qui faisaient de sa tête le point du large « i » que dessinait la foule.

Pour une fois devant moi, l'Administration arborait un sourire. J'en fis autant, puis me ravisai. Il n'y avait pas de quoi s'emballer. Ce n'était qu'un sourire de circonstance. Et puis, ce n'était pas à moi qu'il s'adressait mais à la mariée.

Le maire plastronnait dans un costume bleu marine. Sa cravate rouge aux motifs jaunes et bleus serrait le col de sa chemise bleu clair. Pardessus son costume, il avait attaché au niveau de sa ceinture le drapeau national. Voulait-il ainsi signifier la virilité du pays ? J'avoue que le moment était opportun, mais j'aurais préféré qu'il porte nos trois couleurs en bandoulière, sur son cœur et non sur ses reins. Son visage était illuminé par les reflets d'une paire de lunettes dont il

n'avait plus besoin pour lire ces formules mille
fois répétées et jamais entendues, mais qui ponc-
tuait son goût esthétique. Le maire était persévé-
rant. Il respectait son fauteuil devenu presque
héréditaire. Il prit naturellement sa place dans
cette salle qui lui était si familière qu'il en oubliait
le décor. Il s'était machinalement perché sur son
estrade escorté par son adjoint, et n'avait qu'à dire
« stylo » ou « code civil », exactement comme le
chirurgien qui sans tourner la tête intime
« ciseaux » ou « bistouri ». Ils étaient donc prêts
pour la cérémonie et faisaient face aux futurs
mariés. La salle était attentive et silencieuse. Sur
le mur du fond, un énorme tableau faisait jaillir la
beauté d'un drame. Le thème de la peinture était
l'esclavage. On distinguait de vigoureux hommes
noirs déployant un effort physique perceptible à la
tension de leurs muscles. Ils figuraient en file
indienne, enchaînés les uns aux autres. L'étendue
de leur liberté ne dépassait pas la longueur de cinq
maillons de cette grosse chaîne d'acier qui les
arrimait impitoyablement à leur destin. Le maire
prit le code civil des mains de son adjoint et commença à sceller les maillons d'une autre chaîne,
celle du mariage. Le grand jeune homme, lui, était
trop absorbé pour penser à ses frères partis des

siècles auparavant à travers l'océan Atlantique.
Mais peut-être pensait-il, comme moi, à ce jour où
le destin, sans demander notre avis, fit se rencontrer nos chemins. Ce jour qui avait figé son soleil
depuis cinq ans afin d'éclairer la cérémonie de ce
mariage.

C'était un après-midi comme les autres,
comme celui d'aujourd'hui. Mi-journée africaine
au paroxysme de la chaleur. Affalés sous le poids
du thiéboudjène, du domoda, du mafé ou peut-être
terrassés par d'autres plats non moins caloriques,
Wolofs, Sérères, Diolas et Toucouleurs som-
braient dans une sieste commune aux ethnies
locales. Ceux qui défiaient la chaleur sirotaient
bruyamment leur thé sous l'arbre à palabres.
L'harmattan nous mordait comme à l'accoutumée.
Les feuilles mortes craquaient sous le pas des passants qui les enfouissaient dans le sable chaud, les
privant définitivement d'une sépulture humide.
Des mètres de langues de chiens pendaient et les
mouches en quête de fraîcheur qui s'y posaient
finissaient dans une sorte de métro gluant.

Le grand jeune homme avait sans doute remarqué ce jour-là l'énorme boule d'or que les colons

avaient oubliée et qui pendait du ciel. Elle jetait une lumière assez vive pour éclairer le passage de la pluie qui aime nous rendre visite à cette période de l'année. En cette saison où les nez se dilatent, où l'on se dispute l'oxygène et où l'on se compacte sous l'arbre à palabres, unique lieu de clémence dans les demeures, seule une grosse pluie pouvait apaiser l'irritation croissante des humains. On criait pour étouffer la voix d'en face et, pour plus d'efficacité, on gesticulait avec vigueur. Tout cela rendait l'atmosphère gazeuse ; si Prométhée avait été là, la ville se serait embrasée. C'était comme si Dieu avait ouvert la porte de l'enfer pour nous en faire sentir le souffle. Ce jour choisi par l'éducation nationale pour le bac anticipé de français avait un goût de purgatoire.

Dans la salle de mariage, plus d'une centaine de paires d'yeux observait le dos du jeune couple face au maire qui leur tissait une laisse mutuelle. Professionnel, le maître d'office prononçait des phrases qui ne le touchaient plus. Il savait que la seule fidélité constante est celle du mort à sa tombe. Le sentant si peu convaincu de ce qu'il voulait nous faire accepter, je décidai de remonter le temps jusqu'à ce jour du bac anticipé de français.

Ce jour-là, il n'y eut pas de sieste pour moi. Malgré la chaleur, je salivais énormément. L'inquiétude se liquéfiait en moi. Les pompiers de Mbour avaient perdu leur tuyau et je l'avais dans la gorge. Dehors, le soleil caramélisait tout le monde et toute chose. Mais, en dépit des flots de salive qui m'inondaient, la torche invisible, c'était moi. Je quittai donc l'arbre à palabres pour lui laisser la vie sauve.

Dans ma chambre, Baudelaire tenait des fleurs, mais je pensais qu'il me voulait du mal. Aimé Césaire me proposait un retour au pays natal. Apollinaire était là, majestueux, il avait vu le cou coupé du soleil qui pourtant était toujours là. Je pensai alors que ça le démangeait de couper le mien. Dans ce labyrinthe, seul Molière savait l'issue et pour m'en sortir il voulait me déguiser en Tartuffe. Je refusai car ce n'était pas carnaval. C'était le jour du bac anticipé de français. Il était donc mieux, pour moi, d'aller au lycée en avance.

Pour franchir les quelques centaines de mètres qui me séparaient du lycée Demba Diop, j'avais chaussé ma plus belle paire de chaussures. Évitant le sable ardent, mes talons s'appuyaient lâchement sur le cuir d'une bête anonyme. Dans ma tête, des écrivains bourgeois se croyaient à Vienne. Ivres, ils dansaient la valse et hurlaient des rimes à de belles infidèles. Sous les tropiques, mes tempes battaient le *Sabar*. Toute l'année, les professeurs nous avaient gavés de connaissances, que nous devions garder fraîches en prévision de ce jour, exactement comme le canard traîne son foie jusqu'à Noël.

Tout en marchant vers le centre d'examen, je sentais les fissures de mon cerveau, je priais pour rester étanche. Il fallait éviter la fuite de ma charge scolaire, ce serait affreux de perdre mon stock de l'année. Fatiguée de fouiller les tiroirs de mon cerveau, je renonçai sachant l'évaporation des idées inévitable.

Dans la salle des mariages, quelqu'un se racla la gorge et me fit revenir à l'événement du jour. Le maire était en train d'exiger des deux jeunes gens une momification éternelle dans leurs sentiments. Cette utopie fit planer sur moi l'incertitude du jour du bac anticipé.

En arrivant au lycée, je fus surprise de constater que je n'étais pas la seule à être en avance. Il y avait déjà foule de candidats. Seuls les professeurs, perchés sur leur pouvoir, s'offraient le luxe d'arriver sereinement à l'heure, bien préparés, joliment habillés et même assez parfumés. Nous les attendions en souhaitant qu'ils ne viennent jamais. Ces examinateurs devaient venir d'autres régions. Nous ne voulions pas être surpris par l'adversaire. Alors, pour le matérialiser, chacun se forgeait un visage. Est-ce de cette manière que l'on se représente son prince charmant?

Quelque part à Mbour, ce jour-là, il y avait un grand jeune homme. Vingt-six ans, un mètre quatre-vingt-dix, au moins, il était professeur de lettres modernes et se préparait à l'examen d'une toute autre manière.

Qu'avait-il mangé ce midi-là? Du *yassa*? Du *thieb*? À quoi était décliné son riz du jour? En tout cas, ce n'était pas du *mbakhale* qu'il avait mangé avant de venir nous examiner. D'ailleurs, avait-il seulement mangé? Pour la première fois son stylo montrerait la direction d'un destin, ferait gagner ou perdre toute une année de vie. Il exécutait des gestes ralentis par la longueur de ses membres. Ses documents rangés dans son sac en cuir, il avait pris le chemin du lycée. Il marchait, sans doute pour se détendre et essayer de contenir cette émotion qui risquait de déceler aux candidats qu'il avait aussi peur qu'eux. Sa tête était remplie de visages encore inconnus. Cherchait-il à se représenter l'image du lycéen qui mériterait sa meilleure note en l'étonnant ? Car les professeurs sont avides de surprises. Ils se délectent autant que les quelques chanceux, ou doués, qui arrivent à desserrer l'étau de leurs pinceaux pour en faire jaillir l'encre artistique de la note suprême.

Dans le hall, nous étions là, les douze filles de la 1° A3b qui comptait un effectif de 53 élèves. Les garçons se tenaient à quelques mètres de distance. L'excitation qui nous gagnait faisait oublier le poids de l'atmosphère. Nous avions des visages figés dans un sourire de fausse détente. Je pense, depuis, qu'il n'y a pas plus serré que l'estomac d'un candidat au bac. Avec une mine trafiquée, on essaie d'impressionner la voisine au moyen d'une citation savamment sélectionnée. Rire de la sueur

de l'autre pendant qu'on rentre la sienne à coups
de nerfs. Parler de la dernière couture en vogue
pour s'évader de l'ordre du jour. Raconter des
blagues qui laissent remonter la trouille qu'on
essaie vainement d'avaler. Bref, chez les garçons
comme dans notre groupe de filles, chacun attendait l'arrivée de l'examinateur et son tour pour
l'épreuve orale en maquillant du mieux qu'il pouvait le désordre intérieur estampillé sur son visage. Plus l'heure approchait, moins on était bavard.
Les lycéens, coqs en temps normal, n'étaient plus
que des poussins. Quant aux filles avec leur voix
de rossignol, elles n'étaient plus que des cigales.
Les futurs bacheliers et les futurs recalés, tous
pareils devant l'inconnu, malgré certaines proba-
bilités, voyaient les mêmes choses : l'image
radieuse des parents, leur fierté en cas de réussite
et leur mine contristée en cas d'échec. Mais tous
préféraient se focaliser sur une issue heureuse.
L'épreuve orale devait commencer à 14 heures.
Selon la liste établie par ordre alphabétique,
j'avais la chance ou la malchance d'être en tête.
Me revenait donc la lourde charge d'ouvrir le bal.
À 13 h 45, sur le perron du lycée, les paroles com-
mencèrent à se raréfier. Le souffle des respirations
était contenu comme dans le voile d'une ultime

communion avant la séparation des destins. Juste la griffe d'un stylo, et la masse opaque des candidats serait scindée en deux.

L'issue des examens est aussi cruelle qu'une finale aux jeux olympiques. Il y a toujours, d'un côté les médaillés, de l'autre ceux qui espéraient l'être et qui se trouvent relégués, malgré eux, au rang d'accompagnateurs. La seule différence est que les candidats au bac n'ont que les applaudissements d'une arène remplie de leur solitude.

Quant aux admis, travailleurs de longue haleine ou bachoteurs de la dernière heure, sprinters effrénés ou chanceux d'un jour, leur joie est certainement comparable à la félicité des médaillés olympiques.

Dans la salle des mariages de la mairie de Dakar, la liste des conditions requises par le mariage semble interminable. L'union des deux jeunes gens avait perdu toute spontanéité. Leurs baisers parfumés aux effluves de l'Atlantique étaient venus moisir dans les archives poussiéreuses de l'administration. Ils ne se caresseraient plus seulement par amour, mais parce qu'ils seraient époux. Le maire semblait inventer un nouveau code civil. Les articles s'ajoutaient aux articles. Je pensai : lorsqu'à une case on ajoute une poutre, c'est bien parce qu'on a peur qu'elle ne s'effondre. Comme la construction semblait ne jamais devoir cesser, je décidai de continuer la reconstruction de ma journée du bac anticipé de français.

À quelques minutes de 14 heures, tous les visages étaient figés vers le couloir d'entrée. On scrutait l'horizon à l'endroit par où devait venir le professeur, l'examinateur, futur ange ou démon selon la note qu'il attribuerait aux uns et aux autres. Le mutisme était complet. Mais au fait, allais-je danser avec le diable ou avec le prince ?

J'ai souvent mijoté les images de ce jour. La traîtrise de la mémoire ne les empêche pas de bouillir. « Pote-pote », j'entends la théière bouillir, la feuille du fond vient narguer celle du dessus. Étrange magma que celui de notre vie, sédiments d'histoires. L'archéologue gratte la strate qui lui intime dans un craquement : « Vil fouineur, laisse-moi en paix ! De ma surface j'offre l'asile aux sédiments de demain, comme sur la couche du fond je prends mon appui. » L'arôme du thé monte avec la culbute des feuilles. Celle du fond est maintenant au-dessus. Lessivée, elle garde encore un peu de sa couleur et laisse paraître une image.

Image d'un tableau ciselé par le temps, un jeune professeur entrant dans un couloir. Il est grand, mince, avec des lunettes d'intellectuel, un sac luxueux au bout du bras. Frêle, il semble prendre appui sur le poids de sa tête. Dans notre univers de lycéens, sa majesté est incontestable. On respecte ceux qui savent plus que nous. Mais ce jour-là, la considération qu'on lui manifestait avait quelque chose de sacré. L'émotion qui envahit le condamné face à son bourreau et celle du naufragé à la vue d'un bateau se disputaient le cœur des candidats. Ne sachant pas s'il serait bourreau ou sauveur, chacun préféra se réfugier dans un glacial respect ; d'ailleurs, tout sourire n'aurait pu être qu'un rictus nerveusement élargi.

Vertige de peur ou d'émoi ? Je ferme les yeux. Stabilité. J'ouvre les yeux. Il arrive, sûr de son pas et fier de son allure.

Un murmure desserra les dents des filles : « Waaw, c'est qui ce play-boy ? ». Mais comme dans un groupe les murmures n'ont pas d'auteur, le second fut aussi anonyme que le premier : « Ça ne peut pas être le prof, il est trop jeune. » Mais le jeune homme continua d'approcher. Il est vrai

qu'il était trop jeune pour nous. Entre les redou-
blants, les triplants les quadruplants et même les
quintuplants, sans compter ceux qui s'étaient
octroyé une renaissance administrative les rajeu-
nissant de quelques années, il y en avait certainement qui avaient son âge. Les filles le regardèrent
donc comme un partenaire potentiel. Je n'étais pas
la plus citadine ni la plus jolie du groupe, mais je
me faisais coquette. Et à mesure qu'il s'approchait, un examen dissimulé s'effectuait en moi :
« Comment suis-je habillée ? Suis-je assez élégan-
te pour qu'il me remarque dans cette constellation
de filles... ?» Je n'avais pas fini de me poser ce
genre de questions lorsqu'il arriva à notre hauteur.
Et comme guidé par une force invincible, il regarda droit vers moi, du moins c'est ce que je pensai,
et la durée d'un éclair nos yeux se croisèrent. À
l'insu de mes rivales, la foudre venait de creuser
son cratère dans mon cœur. Il ne me resta plus
qu'à souhaiter que monsieur le grand et beau
jeune homme fût aussi atteint que moi. Je ne bou-
geais plus. Mes talons semblaient soudés au béton
du hall. Mon souffle tranchant se faisait attendre.
Après ce regard aussi délicieux qu'insoutenable, il
se présenta : « Bonjour, je suis M. Fallou..., vous
allez passer l'épreuve orale de littérature avec

moi...» Après quoi il s'éclipsa dans la salle de classe. Tandis que nous attendions l'appel, un examen sentimental s'était engouffré dans mon examen académique. J'avais lu ce que je voulais dans la lueur de ses yeux et j'avais peur de m'être trompée. Alors, comme pour me rassurer, je dis à ma copine Louise : « Il sera mon petit ami. » Elle se moqua de moi, évidemment : « T'es folle, me dit-elle, t'as vu comme il est beau, c'est un gonflé de citadin et en plus c'est un professeur, il a sûrement toutes les nanas qu'il veut, tu ne l'auras jamais...» Je ne l'écoutais plus. Elle au moins avait bien compris que les choses les moins convoitées sont les plus accessibles. Raisonnable petite, elle louchait sur un autre prof beaucoup moins stylé et doté d'un nez énorme, un vrai doublon pour son visage anguleux. Pour taquiner Louise, je lui dit : « Quand ton chéri vient au lycée, il faut appeler les pompiers ; avec son gros nez on risque de manquer d'oxygène. » Le sermon que Louise me fit à propos du charmant examinateur ne me découragea point. Et j'étais encore dans ma petite rêverie quand il parut à l'entrée de la salle avec la liste d'appel à la main. J'avais avancé d'un pas, sachant que j'allais être la première à l'appel. Quittant sa feuille des yeux, il me regarda comme

pour m'inviter à danser un tango imaginaire dia-
boliquement enivrant. Je répondis à l'appel de
mon nom et prénom, mais aussi à celui de mon
cœur. Dans la classe, il me demanda de choisir un
texte. J'optai pour un poème d'Aimé Césaire,
Partir. C'était le seul thème en accord avec mes
idées, partir avec le bel examinateur. Je vis qu'il
me regardait bizarrement et baissait les yeux à
chaque fois que les miens quittaient le texte. Puis
je remarquai qu'il était troublé, il ne m'écoutait
pas vraiment, et je ne m'écoutais pas non plus. Je
déclinais le poème d'Aimé Césaire à l'eau de rose
et mon juge s'y noya avec moi. C'étaient les premiers pas de notre histoire d'amour, la première
passion de ma vie. Les tremblements sous
l'étreinte, les promenades nocturnes au bord de la
mer me semblaient être les joies maximales du
seul paradis possible. Et puisque nous n'étions pas
morts pour y accéder, je souhaitais de vivre mille
ans dans cet amour.

Je pensais à cela, puis aux cinq années qui ont
vu notre fougue partir toujours plus loin en nous
et ensuite plus loin de nous, lorsque le maire dit :
— Mademoiselle Satou... voulez-vous prendre
M. Fried pour époux...?

— Oui, dis-je, d'une voix à peine audible, émue par l'instant et les souvenirs. » Le maire me fit répéter, ce fut un supplice. Au fond de la salle, le grand jeune homme écoutait dans un silence si profond que son écho me parvenait. Après le baiser rituel, il fut le premier à applaudir. Était-ce un message, ce premier claquement de mains isolé ? Puis ce fut le moment des embrassades ; il vint, comme tout le monde, souhaiter du bonheur à M. et Mme Fried. À la fin des civilités, le cortège glissa dans les entrailles de la ville pour rejoindre l'hôtel où les autres convives se tenaient prêts. La fête égayait tous les visages, mais curieusement, j'avais l'estomac aussi noué que le jour du bac. Tard dans la soirée, l'animateur fit passer une musique langoureuse. M. Fried qui dansait avec moi me proposa, par courtoisie ou par méchanceté, de danser avec Fallou, puis chercha ce dernier et lui lança :

— Fallou, je te laisse la mariée ! »

Fallou s'approcha et me dit :

— Ma-dame, tu es très belle. »

Mais à peine avions-nous commencé à danser que le morceau se termina. La bienséance m'obligea à aller rejoindre mon époux. Fallou et moi échangeâmes un regard plein d'amertume et de regrets. Et soudain, une réalité m'apparut : Fallou et moi partions, pour d'autres années, d'autres rives et d'autres examens de la vie, l'un sans l'autre.

Le poème *Partir* d'Aimé Césaire venait de se décliner en adieu. Depuis, je me méfie des mots de poètes car ils ponctuent sournoisement notre destin.

Le visage de l'emploi

Une multitude de visages, de langues, d'accents, d'habits et de valises au poids variable. Un essaim de cœurs qui battent, chacun au rythme de ses rêves. Un haut-parleur alterne les langues les plus importantes, sinon les plus impérialistes de la planète. La voix s'infiltre dans les cerveaux qui la comprennent et contourne les autres. On entend le bruit des chaussures qui déposent la misère ou la fortune de leurs porteurs sur le carrelage. Roissy Charles De Gaulle se réveille drapé de son manteau d'hiver et ouvre déjà les bras comme une putain qui reçoit un riche client. Derrière son sourire se cache une foule de destins. Mais le décor d'une porte d'entrée ne présage pas de la qualité d'un domicile.

Je suis donc entrée dans la France que Paris ne dévoile pas. Strasbourg, une ville virile qui porte sa cathédrale comme une érection destinée au ciel. Là, j'ai hiberné de janvier à mai, ne sortant que lorsque je ne pouvais faire autrement. Dehors, tout était uniforme.

L'égalité n'avait jamais aussi bien porté son nom, personne n'échappait à l'emballage : manteaux, gants, écharpes et bottes créent l'espace d'un hiver une race artificielle, celle des emmitouflés. Les gens n'étaient plus que boules de laine et couleurs industrielles. Les races étaient masquées. Un jour que sur le chemin de la fac une vieille dame marchait devant moi, je lui trouvai une telle ressemblance avec ma grand-mère que je m'abstins de la dépasser de peur de voir son visage et de rompre le charme.

Elle trottinait lentement, gracieusement, moi derrière elle. Je souris intérieurement à l'idée de raconter à ma grand-mère que j'avais vu une toubab qui lui ressemblait, ou de dire à cette Alsacienne qu'elle ressemblait à ma grand-mère noire comme l'ébène.

L'été arriva après s'être fait désirer durant de longs mois. Sans une once de pudeur, il dévoila ses formes. Il s'exprimait avec arrogance dans les beaux corps, et feignait la gêne dans les plus ingrats. Chacun se vit affublé de sa carte d'identité organique. On ne traîna plus de manteaux, d'écharpes, de gants et de bottes, mais la totalité de ses origines, sa peau. Certains portèrent la leur comme un trophée, d'autres comme une croix.

Parée de la mienne, je traversais la ville en songeant aux arguments qui pourraient séduire la personne avec laquelle j'avais pris rendez-vous. Il était onze heures et j'allais à un entretien d'embauche pour du baby-sitting. Dans la rue, je marchais vite, mais j'avais l'impression que les gens me regardaient plus que d'habitude. Soudain, j'eus envie d'être invisible. Je me demandais pourquoi ces regards insistants qui semblaient tout à la fois me bousculer et m'interroger.

— Mais où donc se cacher », me disais-je, en hâtant le pas.

La couverture commune et discrète qu'offrait l'hiver avait fondu avec les derniers grêlons sous le regard impétueux du soleil. Les silhouettes, les maisons, toute chose, désormais, avait son propre visage. Le visage, c'est un aéroport, une entrée, et son décor ne dévoile jamais assez le labyrinthe qu'il cache. Le visage, réceptacle de gènes et de culture, une carte d'immatriculation raciale et ethnique. Voilà donc pourquoi on me regardait tant : l'Afrique tout entière, avec ses attributs vrais ou imaginaires, s'était engouffrée en moi, et mon visage n'était plus le mien mais son hublot sur l'Europe. Aussi, quand j'arrivai à mon rendez-vous, je me contentai de donner mon prénom; dire que j'étais africaine aurait été un pléonasme. De toute façon, mon employeur potentiel avait déjà son idée sur la question.

Confortablement installée, elle me regarda venir après que sa gamine m'eut ouvert la porte.

— Tu as trouvé la maison? me dit-elle.

— Bonjour madame, dis-je, en lui serrant la main. »

Sans me laisser le temps de donner une répon-se à sa question, qui n'en méritait pas, elle enchaî-na :

— Ah, je ne m'étais pas trompée, à ton petit accent au téléphone, j'ai compris que tu étais afri-caine, mais c'est mignon ! »

Je commençais à me méfier. Ces bonnes femmes-là, quand elles disent *c'est mignon* avec ce ton nasillard, il faut comprendre : *c'est affreux*.

Devant mon silence, elle m'allongea en balan-çant la tête d'un air niais :

— Toi y en a bien comprendre madame ?

— Oui madame, répliquai-je, en me retenant de sourire.

Comme pour s'assurer de la véracité de mes propos, elle me demanda depuis combien de temps j'étais en France avec des gestes qui n'avaient rien du langage des signes.

Pour situer le ridicule de ses manières j'hésiterais entre le mauvais clown et la danseuse maladroite. Puis, me désignant une valise, elle se planta devant moi, ses dix doigts boudinés écartés, les yeux allumés comme pour éclairer mon esprit et questionna :

— Toi en France, combien de temps ? »

Pour corroborer l'image idiote qu'elle se faisait de moi, je me contentai d'indiquer le mois.

— Janvier, madame. »

Elle se tourna légèrement vers sa fille pour donner l'impression de ne pas parler de moi et dit avec une moue de dédain :

— Avec ça on est bien avancé ma fille. »

Puis la porte d'entrée s'ouvrit. Une asperge ployait à droite vers son attaché-case.

— Bonjour mes chéries ! »

Madame et sa fille se précipitèrent pour embrasser le squelette animé : c'était donc monsieur le père de famille qui rentrait du bureau. Je me trouvais dans le rayon de son regard circulaire. Madame proclama :

— Monsieur Dupont, mon mari.

— Bonjour monsieur », dis-je, en me levant ; mais je n'eus pas le temps d'attraper sa main ; il dévalait déjà l'escalier vers l'étage supérieur. J'entendis sa femme lui annoncer après l'avoir rejoint :

— Chéri, c'est une fille venue pour la garde des enfants. »

Au-dessus de ma tête, le parquet gémissait sous la lourde démarche de madame, qui n'avait sûrement jamais entendu parler de *Slim fast* ou de *Weight Watcher*. Je pensai : chez moi où les hommes préfèrent les dodues, elle vaudrait certainement son pesant d'or. Et comme le *tama* qui adoucit le grondement du *Djémbé*, les pas de l'époux rythmaient finement ceux de la ronde dame. Puis la voix de castrat glapit :

— Et alors ?

— Elle ne semble pas savoir depuis quand elle est en France, mais elle a l'air de comprendre l'essentiel de ce que je lui dis », répondit madame Dupont.

La voix de monsieur prit un peu de vigueur :

— Mais qu'est-ce que tu veux qu'on fasse avec ça ? »

Mon regard, qui errait dans la cuisine améri-
caine, s'arrêta net sur une paire de grosses
mouches qui faisaient des choses coquines sur les
assiettes empilées dans l'évier. Quoiqu'il fût midi
passé, les Dupont n'avaient pas l'air de se préparer à déjeuner. *Marie* était sans doute à leur service. Dans quelques instants, Madame ouvrirait le
congélateur : un carton serait promptement déchi-
ré, d'où surgirait une barquette en aluminium, le
micro-ondes offrirait ses rayons et les Dupont
seraient nourris. Mais cela ne me regardait pas. Je
repensai donc à la question de Monsieur :

— Mais qu'est-ce que tu veux qu'on fasse avec
ça ? »

C'était donc ça. C'est pour cela qu'on me
regardait comme ça. Je n'étais pas moi avec mon
prénom, ni madame, ni mademoiselle, mais *ça*.
J'étais donc *ça* et même pas *l'autre*. Peut-être
qu'en me désignant comme *ça*, Monsieur éprou-
vait à mon égard le sentiment que m'inspiraient
ces mouches qui s'accouplaient dans sa vaisselle.

Après un bref silence, Madame revint à la
charge.

— Alors ? dit-elle à son époux.

— Tu pourrais engager une autre fille !

— Mais laquelle enfin, hurla-t-elle, ça fait deux semaines que j'ai passé l'annonce et tu le sais ; en attendant, c'est moi qui m'emmerde avec les gosses.

Car les Dupont en étaient à leur deuxième rejeton. Le dernier avait un an. Ce jour-là, Madame l'avait déposé à la crèche.

— T'aurais dû embaucher la fille de la semaine dernière », dit Monsieur.

Madame tonna :

— Mais sais-tu ce que tu dis ? As-tu bien remarqué la gueule qu'elle avait ? On aurait dit qu'elle sortait d'un camp de concentration. Elle ne souriait pas, elle avait l'air d'en vouloir à la terre entière. Je ne confierai pas mes enfants à une pareille horreur ! »

Ces paroles me faisaient sourire. Je comprenais pourquoi la fille en question s'était présentée à Madame avec un masque mortuaire et un sourire absent. Il faut dire que les gens qui cherchent des baby-sitters s'y prennent parfois comme s'ils recrutaient pour la NASA. En fait, pour torcher le cul de leurs charmantes têtes blondes, il faut avoir toutes les qualités imaginables, un sac de diplômes et être suffisamment pauvre pour accepter un salaire de misère.

Quelques minutes plus tard, monsieur Dupont reprit :

— Tu aurais pu engager la fille d'avant-hier !

— Alors là, non ! martela Madame, elle a un gosse et le pire c'est qu'elle est encore enceinte. Elle ne serait pas totalement disponible pour mes enfants. D'ailleurs je me demande comment elle va faire avec deux gosses dans son petit trou en HLM. Mais ça, c'est pas mon problème. Elle n'avait qu'à y penser avant de se mettre à pondre d'une façon inconsidérée, au lieu de venir me compter sa misère. Je ne veux pas l'embaucher et courir le risque de la voir dévaliser les affaires de mes enfants au profit des siens. »

Après cette tirade, le silence de Monsieur me fit comprendre qu'il était à court d'arguments. Seule sa question du début de la conversation était encore claire en lui, et il ne tarda pas à y revenir :

— Ne me dis pas que..., mais enfin Géraldine, que veux-tu qu'on fasse avec ça ! »

— Écoute Jean-Charles, cria-t-elle, demain tu pars toute une semaine pour ton boulot, et moi dans tout ça ? J'ai mon travail aussi. Et puis ces gens-là sont travailleurs et plus obéissants, ça n'a rien à voir avec les chipies de chez nous. Tu te rappelles celle de l'année dernière, elle nous a traînés aux prud'hommes pour nous soutirer du fric ; au moins avec celle-là nous serons tranquilles. Je vais l'embaucher. Ma copine Anita en a une comme ça, et elle obéit au doigt et à l'œil, elle fait tout dans la maison. »

C'était donc ça : pour madame Dupont, *africain* est synonyme d'ignorance et de soumission. Monsieur saurait maintenant que faire avec *ça* : une bonne-à-tout-faire. Je me dis que c'est sans doute pourquoi, dans ce pays, même les métiers ont des visages. Surtout les plus durs et les plus mal payés. Quand vous entendez un marteau-piqueur, inutile de vous retourner, c'est à coup sûr un noir, un turc, un arabe, en tout cas un étranger, qui tient la manette. Quant au bruit des aspirateurs, il signale presque toujours la présence d'une Africaine, d'une Portugaise ou d'une Asiatique. Et pour ce que proposait Madame, j'avais la tête de l'emploi. En plus, mon embauche était une double chance pour elle : elle faisait rimer noir avec ignare, ce qui lui permettrait d'avoir une employée peu consciente de ses droits, donc facile à manipuler et à exploiter. Elle pouvait également compter sur le racisme latent de son époux pour éliminer la rivale que pourrait devenir la nounou.

Lorsque madame Dupont descendit me rejoindre au salon, où les mouches virevoltaient autour de moi, il était presque treize heures. Elle me fit un sourire automatique et me dit :

— Toi y en a commencé demain matin, trente heures par semaine, SMIC, chèques emploi-services. Toi trente minutes avance, Madame y en a montré le travail.

— Oui madame », dis-je en lui serrant la main avant de partir.

Le lendemain matin, je me présentai à 7 h 30. Après de brèves salutations, madame Dupont me montra le nécessaire. Pour l'école, sa fille m'expliquerait le chemin. Avant d'aller à son travail, Madame mit des couleurs sur le cadran de la montre et sur le biberon, afin que *sa nounou africaine* puisse suivre les indications concernant les horaires et la ration du bébé.

Les jours passaient. Madame et moi nous croisions tôt le matin et tard le soir. Le matin elle avait juste le temps d'ajouter quelques ordres aux consignes liées aux enfants :

— Toi y en a repassé pour Madame. »

D'autres jours, c'était :

— Toi y en a aspirateur. »

Ou encore :

— Toi y en a lavé carrelage, etc. »

Le matin, je disais invariablement :

— Oui madame. »

Et quand elle arrivait le soir :

— Bonsoir, au revoir madame. »

Un soir, elle me dit :

— Mademoiselle ma fille pas contente, toi jouer avec elle. »

En effet, la petite était un peu réticente à mon égard, malgré mes sourires et mes tentatives diplomatiques. À midi, elle s'enfermait dans sa chambre où je lui portais son déjeuner. Il n'y a rien de plus insupportable qu'un gosse de bourgeois, surtout quand on lui a mis dans la tête que tous les autres peuples de la planète ne sont que des primitifs. Mais j'avais besoin de garder mon emploi, étant donné que mon visage ne rencontrait souvent que le refus des employeurs. Je me mis donc en devoir de satisfaire la petite, et fis ce qu'on attendait de moi : des manières de singe pour m'attirer les bonnes grâces de mademoiselle Dupont. Une semaine plus tard, j'étais devenue *sa nounou africaine* que connaissaient tous ses

camarades de classe. Et un jour, à table, elle me
demanda :

— Pourquoi tu es noire ?

— C'est parce que je mange trop de chocolat. »
Elle me regarda et fit un grand sourire. Je
voyais qu'elle n'était pas convaincue. Je n'ajoutai
rien de plus. Et je me disais que lorsqu'elle rap-
porterait notre discussion à sa mère, celle-ci me
tiendrait pour plus sotte encore qu'elle n'avait
jugé au premier regard.

L'été, tel un amant instable, partit puis revint,
repartit et, comme pour bien s'assurer de l'état de
tout ce qu'il avait quitté, revint à nouveau. J'étais
toujours chez les Dupont, changeant des couches,
saupoudrant de petites fesses roses, faisant le tra-
jet de l'école quatre fois par jour, poussant le lan-
dau d'un bébé blond que je ne pouvais même pas
faire passer pour mien, passant l'aspirateur, repas-
sant, lavant le carrelage de toute la maison, et
maudissant la merde des Dupont qui s'accrochait
aux parois des w-c et ne sentait pas la rose. Tout
ça pour un salaire de garde d'enfants.

Madame était contente de moi. Un jour, elle
me donna une robe devenue trop serrée pour elle.
Je n'en voulais pas, elle était moche et datait au

moins des années soixante-dix. Il faut dire que Madame s'habillait comme la reine d'Angleterre : coiffée comme une batavia, elle était fidèle à son apparence et s'habillait comme un chou-fleur. Je me disais en la regardant : si cette femme a pu exciter son mari, c'est qu'il doit y avoir des hommes qui trouvent mère Thérésa sexy. J'acceptai la robe par politesse et m'en débarrassai lors de la collecte annuelle des vêtements. L'argent peut acheter une bonne, mais pas le goût. Merci madame.

Madame Dupont jouait à l'intellectuelle et avait entrepris de me civiliser. Un jour que le couple patronal était rentré plus tôt que d'habitude, la petite fille me demanda de lui mettre une cassette vidéo dans le magnétoscope. Elle voulait voir cette satanée Cendrillon qui est à l'origine de quelques générations de femmes complexées quant à la taille de leurs pieds. Je me gardais bien de toucher au matériel : le jour où j'avais cassé un vase en faisant le ménage, Madame m'avait déduit cinq cents francs pour de la terre cuite. Alors malgré la demande insistante de Mademoiselle, je refusai de toucher au magnétoscope. Madame me dit :

— Toi savoir allumer vidéo ?

— Non madame, répondis-je. »

Elle me considéra, mi-maternelle, mi-méprisante :

— Toi tête pour réfléchir ? »

Puis se tournant triomphalement vers son mari, avant de me jauger à nouveau elle proféra :

— *Cogitum sum*, je suis pensée, comme dirait Descartes. »

Évidemment Madame instaurait ainsi une connivence avec son époux et m'excluait de la discussion à venir. Mais cette fois c'en était trop, l'outrage était grand et l'héritage de Descartes menacé. Je ne pouvais pas empêcher qu'elle fît la savante à mes dépens, mais j'exigeais qu'elle le fît correctement. Alors je rétorquai à Madame :

— Non Madame, Descartes dit *Cogito ergo sum,* c'est à dire "je pense donc je suis", comme on peut le lire dans son *Discours de la Méthode*. »

Madame laissa tomber sa cassette vidéo, Monsieur suspendit le geste qui menait un biscuit vers sa bouche. C'était la première fois que je formulais une phrase complète devant eux. Monsieur reprit de la contenance et me dit :

— Tu te prends pour qui pour reprendre comme ça Géraldine. Tu sais, on n'est pas comme toi, ma femme a passé son bac avant de travailler ;

quant à moi que tu vois là, je suis un universitaire, j'ai bac plus deux !

Je ne pipais mot, mais mon sourire calme faisait dans la chair de monsieur Dupont l'effet d'un bistouri. Madame se fit humble pour me dire :

— Tu es en terminale, peut-être ?

— Non madame, lui dis-je, j'ai ma licence de Lettres depuis deux mois. Chère madame, les enfants de monsieur Banania sont aujourd'hui lettrés. »

Puis, au fond de moi j'ajoutai : « Et ça vous lime le caquet ! »

Monsieur Dupont emprunta les escaliers vers l'étage supérieur comme lors de ma première venue. Je parie qu'il se demandait encore, mais cette fois pour d'autres raisons :

— Mais qu'est-ce que tu veux qu'on fasse avec *ça* ? ! »

Madame monta le rejoindre. La pauvre petite attendait toujours Cendrillon devant le magnétoscope. Un jour, elle comprendrait comme sa mère que le prince charmant n'existe pas, et que le petit pied de Cendrillon ne foule pas tout sur son passage. Je dis au revoir à la petite qui boudait et jetai un ample bonsoir à Monsieur et Madame du bas de l'escalier avant de fermer la porte derrière moi.

Après un week-end paisible, je me présentai le lundi matin à 8 h 00 chez les Dupont. J'avais décidé d'éliminer la demi-heure d'avance qui n'était pas payée depuis plus de deux ans.

— Bonjour madame, saluai-je.

— Bonjour, me dit-elle, je vous attendais, la petite doit aller à l'école, si je l'emmène je serai en retard à mon travail. Voulez-vous maintenir la demi-heure d'avance je vous la paierai?

— D'accord, répondis-je. »

Je ne rêvais pas, la grande dame avait retrouvé sa politesse; elle qui m'avait tutoyée dès la première minute de notre rencontre se souciait maintenant des convenances. La semaine fut froide. Puis le temps passa, et avec lui la gêne et la rancune. Quelques mois après, je donnais de temps en temps et gratuitement des cours de français à madame Dupont qui préparait un concours. Elle ne me parlait plus en petit-nègre, nous nous tutoyions et nous appelions par nos prénoms. Même Jean-Charles s'y était mis. Parfois nous mangions ensemble. Ils semblent apprécier les spécialités sénégalaises, et quand ils parlent des Noirs ils ne disent plus « ces gens-là » mais plutôt « les Africains. »

Seulement il y a un problème : depuis que Jean-Charles sait que j'ai lu Descartes, il devine aussi que les fesses cambrées et chocolatées peuvent être confortables.

La préférence nationale

Monsieur Passe-Toi a fixé la règle sans avoir l'air d'y toucher: si vous êtes marié à un ou une Française, nous dit-il, il vous faudra deux années de baise pour capter l'odeur française, la nationalité. Pour les femmes africaines mariées à des Français, les chances de naturalisation augmentent proportionnellement à l'élasticité de leur utérus, où poussent des fœtus français qui ignorent la préférence nationale. Mais monsieur Passe-Toi n'est pas aussi bête qu'on pourrait le croire. En repoussant la date de l'acquisition de la nationalité à deux ans après le mariage, il compte sur le caractère volage de ses compatriotes et le racisme de la belle-famille pour briser les couples mixtes avant la date fatidique. L'étrangère, ex-épouse d'un Français devient juste un ex-objet exotique. Et comme tout objet, elle n'a aucun droit, même pas celui de gagner correctement sa vie. Alors, seule, elle essaie de survivre. L'Administration, pour se donner bonne conscience, fournit une multitude d'adresses aussi inutiles les unes que les autres. On vous répond sans cesse : oui mais vous n'avez pas droit à telle aide, vous n'êtes pas de nationalité française. Allez voir à tel service.

J'ai fini par prendre conscience que, dans ce pays, il y a la SPA pour les animaux abandonnés par leurs maîtres, mais rien pour les étrangères que des Français ont livrées à la misère. En fait, alors qu'on me refuse la nationalité, mon chat sénégalais, lui, a ses papiers français. C'est peut-être parce qu'il a le poil roux.

Mais revenons à la préférence nationale. Si nous admettons que le char du dieu Poséidon fut tiré par des hippocampes, nous comprendrons que le grand tronc du baobab ne repose que sur de frêles racines. Les lois des grands ne prennent de l'envergure que lorsque les plus petits décident de les appliquer avec zèle. Les caélcédrats des tropiques doivent parfois leur chute à de petits termites, et tout comme la taille d'une fourmilière dépend du nombre des petites ouvrières, une cour royale ne serait rien sans ses valets. Ce sont donc les petits employeurs qui donnent sa consistance à la préférence nationale.

À la recherche d'un emploi, je lisais un journal gratuit de Strasbourg où je repérai une annonce : *Grande boulangerie, centre ville, cherche vendeuse. Dialecte souhaité. Se présenter au magasin.*

Je notai l'adresse et j'en parlai le soir même au téléphone à une copine française.

— Mais tu délires ou quoi, commença-t-elle. Tu peux faire autre chose. J'ai le même diplôme que toi, et là je termine une formation pour être professeur. Qu'est-ce que tu vas t'emmerder à vendre des petits pains !

— J'aimerais bien faire autre chose, répliquai-je ; ma cocotte, mes diplômes sont certes français mais mon cerveau n'est pas reconnu comme tel et pour cela on lui interdit de fonctionner. En attendant, il faut bouffer. Au moins, avec les petits pains, je ne mourrai pas de faim.

— Mais enfin c'est ridicule, me dit-elle, tu peux sûrement trouver autre chose. Tu n'as sûrement pas fait ce qu'il fallait. »

C'était la centième fois que j'entendais cette réflexion. N'ayant aucune conscience de ce que je vivais, les amis français me prenaient souvent pour une paranoïaque. Moi, je ne leur en voulais pas. Quand on a le nez de Cléopâtre et la peau

d'Anne d'Autriche, on ne sent pas le racisme de
France avec la peau de Mamadou.

Le lendemain matin, je me présentai à la boulangerie en question. Hormis les gâteaux au chocolat et quelques baguettes trop cuites, tout était
blanc. Il n'y avait que Pierre, Paul, Joseph et
Martin pour les hommes, la gent féminine était
représentée par Gertrude, Josiane et Jacqueline.
Aucune trace donc d'Aïcha ou de Mamadou.

Le patron m'accueillit avec une moustache
allemande, un accent alsacien et un chapeau aux
couleurs de la France. À sa façon de me dévisager,
je compris que les éliminatoires avaient déjà commencé. Ce monsieur n'aimait pas le chocolat
vivant. Je me forçai à sourire et lui dis :

— Bonjour monsieur, je suis venue au sujet de
votre annonce. »

Il secoua la tête, l'air de dire : encore une qui
veut le pain de nos gosses. Mais il trouva la
méthode la plus sournoise :

— Ya ya, tu parles un pon al-sa-cien ? »

L'annonce portait il est vrai la précision : dialecte souhaité. Mais moi, j'étais venue avec le
mien et non pas le sien. Je croyais que tous les
Français parlaient le français au moins aussi bien

que ceux qu'ils avaient colonisés. Et voilà que j'étais linguistiquement plus française qu'un compatriote de Victor Hugo. Et il me demandait en plus de bâtir un pont alsacien entre sa boulangerie et ses clients. Alors je lui donnai la réponse qu'il attendait et espérait :

— Non monsieur. »

Je pensai : ça fait à peine deux ans que je mange des kouglofs et il veut déjà que ma langue soit la sienne. Je lisais le refus dans ses yeux d'une couleur incertaine, et comme pour motiver sa réponse négative et m'humilier à la fois, il me dit :

— Mais pourquoi fous n'allez donc pas trafailler chez fous. »

Ce *vous* n'était point celui de la politesse, puisqu'il m'avait précédemment tutoyée. C'était un sac ; oui, un sac poubelle où il mettait tous les étrangers qu'il aurait aimé jeter dans le Rhin. Cela me donna le droit et le devoir d'être impolie. Je me déchaînai intérieurement :

«Tu devrais me demander pourquoi j'en arrive à convoiter ton sale boulot. En fait, deux années durant mon vagin a fait la révérence à une queue comme la tienne, un sexe français plastifié qui ne m'a laissé que ses morpions. Un spermatozoïde de lui, un seul qui se serait égaré dans mon utérus aurait donné à la CAF une raison de pourvoir à ma subsistance, ou plutôt, de nourrir le petit aux gènes français et je ramasserais les miettes pour survivre. Mais tel n'est pas le cas : mes sentiments m'ont exilée et la préférence nationale de ma belle-famille a eu raison de mes rêves de liberté. Au revoir monsieur. Vous avez appauvri nos terres africaines à force de nous faire cultiver l'arachide et la canne à sucre pour votre peuple, vous avez pillé nos mines de phosphate, d'alumine et d'or pour enrichir votre pays à nos dépens, et pour couronner le tout, vous avez fait des miens des tirailleurs sénégalais utilisés comme chair à canon dans une guerre qui n'était pas la leur. Une guerre où vous les avez fait tuer au nom de la liberté que vous leur aviez refusée sur leur propre terre d'Afrique. Une guerre sur une terre blanche où gît encore l'œil de mon grand-père arraché par un éclat d'obus. Cet œil qui vous observe ; est là monsieur, on y voit le reflet de vos horreurs passées, et il regarde aujourd'hui ce que vous faites de ses enfants venus le chercher. Je suis venue, monsieur, guidée par l'odeur du sang des miens qui ont quitté des femmes fertiles et sont devenus malgré leur courage l'engrais de votre orgueilleuse terre. Je suis venue, parce que j'ai su entendre les chants guerriers qui émanent des multiples croix anonymes de Verdun pour se répandre vers l'Afrique orpheline. Enfin, je suis venue, monsieur, pour rétablir la vérité. Vous m'avez appris à chanter *Nos ancêtres les Gaulois*, et j'ai compris que c'était faux. Je veux apprendre à vos gosses à chanter *Nos ancêtres les tirailleurs sénégalais*, car la France est un grenier sur pilotis, et certaines de ses poutres viennent d'Afrique. »

Toujours sans travail, je continuais à croire que l'œil de mon grand-père éclairerait mon chemin en Europe. Après tout, les dieux africains qui recevaient des sacrifices physiques promettaient la protection éternelle aux mutilés comme à leurs descendants. Peut-être les dieux européens feraient-ils preuve de la même magnanimité. Je repris donc le journal gratuit trois jours plus tard. Une nouvelle annonce attira mon attention : *Cherche étudiant(e) pour des cours de français. Licence exigée. Pour r. v. Tél. : 03 - 88..., apr. 19 heures.*

Je notai le numéro, mais sans rien en dire cette fois à ma copine. Elle m'aurait demandé comment s'était passée la rencontre avec le boulanger, et n'aurait rien cru de ce que je lui aurais raconté. Elle morigénerait encore : « T'es parano ou quoi, je suis sûre qu'il n'est pas raciste, il est juste un peu mal élevé. »

À 19 h 10 le téléphone sonna chez l'annonceur. C'était une femme. Elle me dit qu'elle était caissière dans un grand supermarché de Strasbourg, qu'elle cherchait du soutien scolaire pour sa fille en classe de sixième et elle me donna rendez-vous ; dans un café du centre ville pour le lendemain après-midi.

Vu l'annonce qui exigeait la licence, je pensais que le futur bénéficiaire des cours préparait le bac. Mais j'acceptai le rendez-vous, il faut bien bouffer que ce soit Job ou Jupiter qui paye le salaire.

Lorsque je me présentai au café en question, il était rempli de monde, mais madame m'avait dit qu'elle aurait un *pull blanc à bandes bleues*. Je l'identifiai très vite : avec son rouge à lèvre couleur de sang, le drapeau français flottait avec elle. Après m'être présentée, je lui découvris une partie de mon cerveau jusqu'alors enfermée dans une pochette : la fameuse licence exigée. Puis, conscient de son rôle dans le capitalisme, le garçon de café s'approcha avec un air aimable et me dit :

— Pour vous madame, ce sera...?»

Je commandai un jus quelconque en me disant : c'est drôle, quand il s'agit d'encaisser, la préférence nationale baisse les voiles. Le garçon apporta mon verre.

Mon vis-à-vis scruta le papier, puis me le rendit en disant :

— Je veux une personne de type européen ; et relevant son menton en pointe de truelle, elle ajouta : je ne veux pas qu'on me bousille l'éducation de mon enfant. »

Madame est française, il est vrai, mais elle n'a même pas son bac et s'estime incapable d'assurer le soutien scolaire de sa fille. À cause de mes lèvres noires, qui du moins psalmodient la langue de Vaugelas mieux que les siennes, elle me refuse le travail. Versant mon jus sur ma colère, je me lève et lui lance en partant :

— Au revoir madame, mais si vous aviez ce que j'ai dans la tête, vous ne seriez pas caissière au supermarché.

— Revenez, me crie-t-elle, vous n'avez pas payé votre consommation.

— Non, lui dis-je dans une grimace, à vous l'honneur madame, ce sont les frais de déplacement ; la bonne caissière que vous êtes n'ignore pas que tout se paye, mêmes les services des personnes de couleur, comme on dit chez vous. »

Je m'attaquais ainsi plus au valet de monsieur Passe-Toi qui s'éveillait en elle qu'à sa propre connerie, qui n'était que le résultat de la restriction de son univers culturel. Après tout, ce ne sont que les sottises des grands qui abrutissent les petits. Quand le guide est aveugle, tous ceux qui marchent derrière lui s'enfoncent dans les ténèbres. J'en étais à ces pensées quand j'entendis la caissière hurler :

— Rentre dans ta forêt ! »

C'est curieux ce que les gens racistes manquent de vocabulaire, c'est dû peut-être à leur défaut d'instruction chronique. Ma belle-mère m'avait sorti la même phrase, et avant que j'aie eu le temps de rentrer chez moi, elle avait repris son fiston dans son giron.

— Vous devriez m'y accompagner et profiter de l'air frais, lui rétorquai-je. C'est un bain de jouvence qui vous éviterait un lifting. »

Elle referma sa tirelire écarlate et aplatit ses fesses flasques sur sa chaise en marmonnant. Elle était cramoisie. Intérieurement, je remerciai Dieu de ne m'avoir pas marquée du sceau de la gêne ou de la colère. Ma peau du moins garde toujours sa dignité.

Alors que je sortais du café, un homme entre deux âges me fit un clin d'œil en me désignant une place vacante en face de lui; je lui adressai un petit sourire avant de m'éclipser, me disant en moi-même: encore un célibataire esseulé qui regrette la vie de famille qu'il n'a pas su construire à force de s'aimer lui-même dans les rares cris de joie et les larmes fréquentes des femmes qu'il a pu posséder. Non, je n'accepterai pas son invitation; c'est peut-être un de ses vieux croulants qui aiment ou détestent trop leur mère pour pouvoir faire le bonheur d'une autre femme. Et non encore, parce qu'il pourrait se comporter comme ce monsieur qui aimait bien la noire dans son lit, mais avait honte de me tenir la main dans la rue, et qui me demandait de rester cloîtrée à l'étage supérieur, lorsque sa mère arrivait à l'improviste. Bon vent monsieur !

En marchant, je sortis machinalement ma carte de résidence. Sur son verso, juste en bas de ma date d'arrivée et au-dessus de mon adresse était écrit en lettres capitales: *TOUTE PROFESSION*

EN FRANCE MÉTROPOLITAINE DANS LE CADRE DE LA LÉGISLATION EN VIGUEUR. Quel joli leurre! pensai-je, j'ajouterais au bas de ces deux lignes: OFFICIELLE OU OFFICIEU-SE.

Le soir, j'appelai une copine de fac, une blonde aux cheveux argentés, une vraie blanche d'appellation et d'origine contrôlées. Elle était en licence et cherchait un petit boulot. Je lui donnai le numéro de téléphone de la caissière. Le lendemain soir, une voix joyeuse s'échappa de mon répondeur:

—... merci pour le tuyau. J'ai commencé ce matin chez la dame. Mais si ça t'intéresse, elle a une voisine qui cherche une femme de ménage. »

Cunégonde à la bibliothèque

Pangloss enseignait la métaphysico-théologo-cosmolo-nigologie. Il prouvait admirablement qu'il n'y avait point d'effet sans cause, et que dans ce meilleur des mondes possibles, (...) «Il est démontré, disait-il, que les choses ne peuvent être autrement : car tout étant fait pour une fin, tout est nécessairement pour la meilleure fin. Remarquez bien que les nez ont été faits pour porter des lunettes, aussi avons-nous des lunettes. Les jambes sont visiblement instituées pour être chaussées, et nous avons des chausses. (...) et les cochons étant faits pour être mangés, nous mangeons du porc toute l'année : par conséquent, ceux qui ont avancé que tout est bien, ont dit une sottise : il fallait dire que tout est au mieux. (...) les malheurs particuliers font le bien général, de sorte que plus il y a de malheurs particuliers, et plus tout est bien. »

Voltaire

Femme de ménage chez les Dupire, j'occupais mon esprit à valider la thèse de maître Pangloss. Au fond, le bonhomme n'avait pas tort. Dans le monde Dupire, mon malheur particulier faisait le bien-être de toute une famille. Astiquer, toujours astiquer. Des mois passés à déloger les cafards. La serpillière et le balai pour une assiette toujours pleine. La serpillière et le balai pour un loyer toujours payé. Un salaire toujours accordé au minimum vital. Voilà pourquoi les Dupire déposaient toute leur saleté en mon honneur. Je venais faire leur ménage le mercredi et le vendredi. Alors que je m'imaginais dans le pire des mondes possibles, monsieur Dupire se voyait à *Thunder-ten-tronckh*, dans le meilleur des mondes possibles.

Tous les matins, il buvait son café debout devant la table du salon où sa femme installait le petit-déjeuner. Sa main gauche tenait la tasse, et la droite griffonnait des chiffres calculés à la dernière minute, avant le départ pour le bureau. La calculatrice était l'annexe de son cerveau; il était comptable. C'était toujours madame Dupire qui m'ouvrait la porte. Elle voulait que le salon fût nettoyé d'abord. Monsieur, accompagné de sa calculette, allait finir son café dans la cuisine. Dès que la porte s'ouvrait, il demandait invariablement à sa femme :

— Cunégonde est arrivée ? »

Cette impertinente question, il avait commencé par la poser à voix basse ; puis, s'enhardissant, il la faisait maintenant sonner en y ajoutant parfois des commentaires destinés à faire rire son épouse. Cette situation perdurait d'autant que je feignais de ne pas comprendre. Pourtant, j'aurais pu lui rétorquer :

« Non, monsieur, je ne suis pas Cunégonde. Cunégonde lavait des écuelles sur le bord de la Propontide, chez un prince qui avait très peu de vaisselle, mais qui en avait certainement plus que vous. Elle était esclave d'un ancien souverain nommé Ragotski ; or je suis peut-être votre esclave, mais la noblesse vous est étrangère. Non, monsieur, vous n'êtes pas un grand seigneur, et votre demeure n'est pas mon Eldorado ; elle ne produit pas de l'or à paver les routes et les choses que j'ai pu m'offrir grâce à votre argent sont loin d'être au nombre des acariens que j'ai dû avaler chez vous. Vous ne le savez pas, mais j'aime les croissants ; si je n'en achète plus avec votre argent, c'est que leur forme me rappelle cette tache de sperme que les fesses de votre femme dessinent sur vos draps. Non, monsieur, je ne suis pas Cunégonde, qui était devenue horriblement laide, et serait incapable de réveiller cette chose, que j'imagine courte entre vos jambes, et qui pousse votre pantalon devant vous lorsque vos yeux, lassés de la planche qui vous sert d'épouse, ne trouvent plus que ma croupe et mon décolleté pour plonger dans la vie. Non, monsieur, vous n'êtes pas dans le meilleur des mondes possibles, votre nez n'a pas été fait pour porter des lunettes d'intellectuel, même si vous avez des lorgnons, mais pour aspirer ma part d'oxygène ; votre bouche n'a pas été fendue pour manger le cochon avec lequel vous avez une certaine parenté, mais pour révéler ce trou béant de l'ignorance que l'humanité ne saura jamais combler. »

Voilà ce que j'aurais voulu dire à monsieur Dupire, mais que j'ai tu. Que voulez-vous ? À forces égales dans leur combat, la faim et la dignité se neutralisent lorsqu'elles se trouvent réunies en nous. Réagir signifierait perdre le privilège de nettoyer le carré de murs des Dupire. Une heure de ménage en moins ce serait un steak, un savon, un pain ou un livre en moins. Il fallait supporter monsieur Dupire et l'écouter mutiler Voltaire, car je ne pouvais me permettre de renoncer à la modeste somme mensuelle qu'il me versait et avec laquelle j'achetais des œuvres qu'il ne lirait jamais. Je me taisais et le laissais rire de moi avec sa femme en m'appelant Cunégonde. Dans ce monde de la galère où son pain ne dépend pas de soi, on est toujours pute d'une façon ou d'une autre. La relation entre employeur et employé n'est pas une relation de personne à personne, mais de ventre à pain. Et dans ce meilleur des mondes de l'emploi domestique, quand l'employée rote on dit que ça pue, mais quand le patron ou la patronne pète on dit que ça sent la lavande. Pour moi, chez les Dupire, tout était au mieux ; je savais pourquoi j'étais là et pourquoi je me taisais, c'était l'essentiel. Tout était au mieux dans ma conscience car je faisais bien mon travail et parfois Madame me disait :

— Mes amies me complimentent sur la tenue de ma maison. Tu es une bonne femme de ménage. C'est très bien. »

Je répondais par un sourire qui signifiait : Je t'emmerde.

Attention, je chercherai tous ceux qui diront que je détestais mes employeurs pour leur casser les jambes avec une batte de base-ball. L'alexandrin racinien : *Je chéris ta personne et je hais ton erreur* me semble assez approprié à la situation. Je ne détestais pas mes patrons, je leur étais même d'une certaine façon reconnaissante de m'avoir donné un emploi, et pour mériter mon salaire je faisais consciencieusement la toilette de leur porcherie. C'est l'image arrêtée qu'ils avaient d'une femme de ménage qui m'exaspérait. Ils oubliaient que la serpillière était faite pour nettoyer leur carrelage et non pour envelopper mon cerveau.

Madame, par exemple, me harcelait le mercredi matin :

— Dépêche-toi, fais vite le salon, la jeune femme qui donne des cours à mon fils va arriver à 9 heures. Il faut que tout soit bien propre et rangé, enlève les pantoufles de mon mari, mets-les dans l'armoire à chaussures, ferme la porte de ma chambre à coucher ; je vais vite prendre une douche et m'habiller. »

Il faut savoir que Madame m'accueillait toujours en robe de chambre avec ses gros chaussons, ses cernes, ses cheveux ébouriffés et même parfois ses bigoudis. La voir courir et me faire courir au nom de la décence de l'accueil qu'elle réservait à cette étudiante m'agaçait. J'étais jalouse du respect qu'elle témoignait à cette camarade de fac à laquelle j'avais demandé de ne jamais parler de moi à la famille Dupire. Elle avait tenu promesse. Les Dupire avaient de l'admiration pour elle, et Madame se faisait propre pour la recevoir. Quant à moi, je trouvais l'appartement dans les états les plus dégoûtants.

Dans la chambre à coucher, Madame laissait traîner ses petites culottes ; parfois, un dernier tampax nichait entre les couettes ou gisait en bas du lit. On ne met pas deux épées dans le même fourreau, une tige en chasse forcément une autre. Ainsi, supposant mon incapacité de jugement, Madame, sans gêne, me laissait la tige vaincue avec laquelle je mesurais sa considération pour moi. Je me sentais insultée dans mon humanité et dans ma féminité. Mais comme j'avais une certaine expérience des emplois domestiques, je trouvai une parade morale : pour accepter cette vulgarité je n'étais pas indigne, il fallait bien vivre, c'est donc Madame qui était indigne en me faisant supporter pareille humiliation. Il m'arrivait même de chanter en besognant. Lorsqu'on est bafoué, nié, on se forge une carapace, que certains appelleront courage, et d'autres, orgueil ; mais quel que soit son nom, cette carapace permet de sauver ce morceau de dignité qui assure la passerelle entre soi et le reste des humains. Cunégonde disait : *une personne d'honneur peut-être violée une fois, mais sa vertu s'en affermit.* Je n'étais pas résignée, mais juste un peu plus apte à résister psychologiquement.

Pendant une année entière, les Dupire m'ont exposé leurs saletés, leurs tares et leur vulgarité, qu'ils maquillaient dès qu'ils étaient en présence de gens qu'ils supposaient éduqués, c'est-à-dire de leurs semblables, qui la plupart du temps n'avaient rien à apprendre aux orangs-outangs.

J'affirme que toute l'étude de Freud sur l'être humain est approximative, car il s'adressait à des gens persuadés de son intelligence ; or l'homme social ne se livre totalement que lorsqu'il vous croit incapable de réfléchir et de le juger. Si Freud, armé de son savoir, avait adopté la livrée en société, il aurait plus et mieux appris sur la nature humaine.

Quant à moi, ce n'était pas seulement une force d'adulte qui me permettait d'affronter les tâches rudes et les quolibets. Mes souvenirs d'enfance m'étaient d'un grand secours. Deux images gravées en moi me servaient de béquilles lorsque ma volonté menaçait de s'affaisser. À plus de cinq mille kilomètres de moi, mes grand parents participaient, peut-être sans le savoir, à mon combat pour la survie.

J'ai la meilleure des grands-mères. Elle ne me lisait pas d'histoires pour m'endormir et ne m'embrassait pas pour mon anniversaire. Mais elle m'a gavée de couscous et raconté la vie telle qu'elle est vraiment. Elle a refusé le mensonge de tous les grands-parents du monde, qui empruntent la bouche d'une fée pour raconter à leurs petits-enfants la vie telle qu'elle ne sera jamais.

Le meilleur des grands-pères est le mien. Dans les champs de mil fécondés par les pluies sahéliennes, mon grand-père ne m'offrait pas de petites fleurs. Il me tendait la houe et me disait de gratter le sol. À force de transpirer, j'ai compris que seule la sueur faisait pousser les plus belles fleurs, celles qui garnissent une vie digne, la seule qui mérite d'être vécue.

L'image dégradante que monsieur Dupire me collait n'était pour moi qu'un tas de broussailles qu'il fallait franchir pour accéder à la rivière désaltérante. Il pouvait donc continuer, car ma sueur faisait pousser ce que sa salive ne pouvait tuer. Le diable peut bien profiter de la nuit, mais le soleil ne tardera pas à venir pour lui crever les yeux. La vie est une amante infidèle, elle ne garde les ténèbres que pour mieux voir le soleil briller et la lumière chasser les ombres. Monsieur Dupire semblait l'ignorer jusqu'au jour où il rencontra Cunégonde à la Bibliothèque nationale de Strasbourg.

Je consacrais mes journées sans ménage à mes études. Et comme le samedi matin je n'avais ni ménage ni cours, je me rendais à la bibliothèque. C'était un rituel paisible qui me tenait à cœur. Je pouvais y rencontrer mes camarades de faculté et me sentir un peu étudiante. La bibliothèque était la bulle étanche où la Javel ne pouvait venir chatouiller mes narines, où les hapax de monsieur Dupire se rectifiaient d'eux-mêmes et où mon cœur au lieu de se refermer sur lui-même pour

résister, allait s'épanouir dans la lumière mysté-
rieuse irradiant des livres. Mais parfois les bulles
crèvent, et c'est ce qui arriva à la mienne un samedi matin. Alors que je sortais de la salle de lecture
des microfiches, une voix familière m'interpella :

— Vous, ici ? Mais que faites-vous ici ? »

C'était monsieur Dupire qui me dévisageait, la
moustache dressée, les yeux exorbités. Je me
composai une sérénité et lui répondis d'une voix
calme :

— Comme vous, monsieur, je cherche des
livres.

— Mais enfin, dit-il, pour qui, pourquoi ?

— Pour moi monsieur, pour les lire, lui dis-je.

— Mais enfin, dit-il, seriez-vous étudiante ?

— Oui, répondis-je.

— En quoi ? continua-t-il.

— En lettres modernes.

— Oui, mais en quelle année, ajouta-t-il, saisi
d'un besoin soudain de m'évaluer.

— En D.E.A., lui dis-je.

— Mais, mais, bafouilla-t-il, vous ne m'aviez
pas dit que...

— Non, lui coupai-je sa phrase, celle qui vient
chez vous, on lui demande juste d'être une bonne

femme de ménage, et c'est ce que je suis, je crois. »

Il inspira un grand coup et poursuivit :

— Vous auriez dû me dire que...

— ...que ? repris-je gaiement, qu'avant de laver des écuelles sur le bord de la Propontide, Cunégonde aimait écouter les leçons du professeur Pangloss, ou que la serpillière dessèche le carrelage et non le cerveau ? »

Ses épaules s'affaissèrent, ses traits déformés se figèrent et son visage rouge semblait contenir tout le mauvais vin qu'il avait ingurgité dans sa vie peu raffinée. Il était coloré par la gêne. L'ayant crucifié de mes yeux pendant quelques instants, je lui envoyai mon grand sourire de femme de ménage avant de partir avec mes livres sous le bras. Il me suivit du regard sans bouger. Cette fois, il ne considérait ni ma croupe ni mon décolleté, mais l'étendue de sa bêtise. Dupire venait de comprendre qu'aucune de ses goujateries n'avait échappé à ma cervelle de femme de ménage qu'il supposait peu élastique.

Le dimanche après-midi, mon téléphone sonna.

— Allô, dit une voix féminine, c'est madame Dupire ; je voulais vous dire que pour les semaines à venir, nous n'aurons pas besoin de vos services ; mais ne vous en faites pas ; nous vous recontacterons...

— Bien, soit, madame, dis-je ; puis, après une seconde de réflexion, j'ajoutai : Cunégonde vous sera toujours dévouée. »

Les Dupire ne m'ont jamais rappelée. J'attends encore leur coup de fil et les cent soixante francs qu'ils me doivent pour mes quatre dernières heures de ménage dans leur appartement.

Le dîner du professeur

Sur le parquet marqueté, une grande table en bois massif. Cette table semble être conçue pour accueillir des notables. Elle appartient à un grand monsieur, oui, un grand monsieur pour la société qui fixe ses normes. Il est agrégé de chose, docteur de machin et professeur à l'université. Ce soir, je suis son invitée, comme d'autres soirs avant celui-ci. Le rituel reste le même.

Il a fait une salade bio dans un saladier en verre. Il a posé des fromages bio sur un plateau en verre. Dans le four, il a mis à réchauffer une tourte aux pleurotes également bio.

Après nos brèves salutations, il nous installe autour de la table et me dit :

— J'espère que tu as faim, car je ne t'ai fait que de bonnes choses.

— Je n'ai pas trop faim, lui dis-je.

— Ah ! Comment ça tu n'as pas faim, me dit-il, je n'ai pas acheté tout ça pour rien quand même. »

Je ne réponds pas. Je me dis que de toute façon, même sans moi, il mangerait son dîner bio. Un instant après, il me sert sa salade bio et se sert à son tour. Nous commençons à manger. La salade finie, il apporte la tourte fumante, m'en coupe un morceau et en fait autant pour lui. Nous terminons avec le fromage. Le dîner est construit comme une phrase : il y a un sujet, un verbe et un complément. Monsieur le professeur n'a pas oublié le dessert, des figues séchées servent donc de ponctuation. Elles sont certainement bio.

Monsieur le professeur est branché à la mode du tout biologique, comme beaucoup de bourgeois. Il n'est pas nécessaire d'être sociologue pour savoir que les produits bio sont réservés à une élite. Il faut d'abord avoir de quoi se nourrir pour savoir de quoi se priver, avoir ce qu'il faut pour chercher ce qui est mieux. Le monde est ainsi fait : il y a ceux qui cherchent à s'approcher de la vie, et ceux qui font tout pour ne pas en sortir. J'en étais à cette pensée lorsqu'il me montra le dernier CD qu'il s'était acheté :

— Tu connais… ? me dit-il.

— Non, lui dis-je.

— Comment ça non, lança-t-il indigné avant
de poursuivre, c'est un grand compositeur roman-
tique.

— Ce n'est pas grave, lui dis-je, tu me le feras
connaître, aujourd'hui, je me laisse éduquer. »

Je ne m'en foutais pas, mais le fait de ne pas
connaître cet illustre compositeur ne m'inspirait
aucune honte intellectuelle, même si monsieur le
professeur en déduisait une carence de ma part. La
musique c'est comme les parfums de glaces, ou
les spécialités de cuisine, nous n'en retenons que
ce qui nous a plu. Et pour atténuer la déception de
mon hôte, je lui racontai comment mon amour du
violoncelle avait failli me coûter un emploi.

J'étais employée pour quelques heures de
ménage par semaine chez des gens qui allaient au
théâtre et à l'opéra. Je n'ai jamais su s'ils y
allaient par goût de la culture ou par snobisme,
comme c'est souvent le cas de ces bourgeois qui,
après avoir vu *Cena furiosa,* vous disent simple-
ment : *Hier nous avons été voir du Verdi.* Mais un
jour, en nettoyant leur salon, je trouvai entre
divers bibelots de pacotille un CD. Je passai ma
main sur la pochette pour en ôter la poussière et

lus : *Les suites pour violoncelle de Johann Sebastian Bach.*

Je ne pus m'empêcher de mettre le CD dans le lecteur. La musique était à la fois douce et dramatique. Chaque note semblait atterrir à un endroit bien précis de mon cœur pour ensuite s'envoler lentement avec un bout de ce tourment que les mots, malgré leur force, ont toujours laissé au fond de moi. Assise, le dos au mur, la tête appuyée sur le balai que je tenais planté au sol entre mes jambes, j'écoutais. Le temps discret me berçait, j'écoutais. Soudain une clef tourna, la porte s'ouvrit. Madame entra, il était donc midi et j'étais en retard, elle cria :

— Eh ! En voilà du joli travail ! Comme ça je vous paye pour que vous écoutiez de la musique chez moi ! »

Je me levai surprise et murmurai de vagues excuses. Au fond de moi je me disais : «le bonheur de l'âme ignore les minutes qui s'égrènent. »

Cette histoire illumina le visage du professeur. Il m'expliqua dédaigneusement qui était ce grand compositeur dont il venait de me montrer le CD. Le dîner se termina dans un silence noir, que seul illuminait son regard lubrique. Pour lancer une conversation, il me raconta sommairement sa journée à la faculté. Il ne savait toujours pas pourquoi j'avais si peu d'appétit, et ne me posa pas de questions. Cette absence d'interrogation me fit penser qu'au fond il ne l'ignorait pas : il savait que j'avais fait mes sept heures de ménage, avant d'aller assister à mon cours et de venir ensuite diffuser autour de sa table de notable un parfum destiné à masquer l'odeur de l'eau de Javel incrustée dans mes mains. Son silence voulait dire : *ça ne me regarde pas,* ce qui signifie parfois *je ne regarde pas.*

Il savait, mais voulait faire semblant d'ignorer le versant ingrat d'une vie dont il n'acceptait que le côté joyeux. C'est un homme qui aime les rires et les sourires mais ne sait pas essuyer les larmes. Il ne sait pas que celui qui veut manger dans une calebasse y trouve toujours le parfum du couscous de la veille. J'en étais à me demander comment un homme pouvait aimer une femme et la laisser se noyer sans bouger, lorsqu'il me proposa :

— On va s'installer pour écouter ce grand musicien. »

Il mit la sono en marche, s'installa dans son plus petit fauteuil et m'attira à ses côtés. Les

flammes de la cheminée consumaient le reste de
mes espoirs de tendresse, tandis qu'elles s'al-
liaient à la musique pour accélérer la circulation
de son sang. Inutile de vous dire que Milosevic
était déjà au garde-à-vous, et cognait dans ses sou-
bresauts ma fesse gauche. Et très vite, le professeur se libéra de ses habits. L'espace d'un baiser
que j'eus à peine le temps de rendre, il m'avait
déshabillée et sa main cherchait nerveusement
mon degré d'humidité pour voir si la glisse était
déjà possible. Voyant que non, il enchaîna
quelques baisers ponctués de caresses autoritaires
au niveau de mon cou. Je redressai la tête, il prit
ça pour un geste langoureux, et se glissa entre mes
jambes. Comme j'appuyais ma main sur son tapis
persan pour me soulever un peu, et soulager l'une
de mes jambes meurtrie, il crut que je lui faisais
une place accueillante. Il s'engouffra et glissa en
moi comme une couleuvre bifurque dans les
champs de mil du Sahel. Maintenant, il gigotait.
Je regardais derrière son épaule.

Je voyais au bas de sa bibliothèque un livre
toujours à la même place. On lisait sur la jaquet-
te : *Le sexe et l'effroi* ; on y voyait également
l'image d'une femme avec un regard terrible. De
tous les coins du salon son regard semblait vous

poursuivre. J'avais dit à monsieur le professeur
que ce regard m'effrayait. Mais il ne l'avait pas
changé de place, car ce monsieur ne change
jamais rien pour personne.

Il s'agrippait toujours, gigotait encore.
Maintenant il grognait. C'est curieux, quelle que
soit la dimension sociale, morale et physique d'un
homme, on arrive toujours à le ranger entre les
deux jambes d'une femme. L'entrejambe d'une
femme, l'alpha et l'oméga de l'homme : il naît de
là, et toute sa vie il y retourne. Il gigotait toujours,
et je me rendis compte, que, sans le vouloir, je
devenais de plus en plus humide. Il glissait, encore et encore, un coup en avant — un coup en arrière — attends — je reviens — j'y suis — me
revoilà — là — oh oui ! Il grognait plus fort.
L'ascension céleste s'annonçait.

J'aurais voulu qu'il me dise des mots gentils,
du genre : *Oh que tu es belle, tu me rends fou.*
Tous ces mots qui à cet instant précis ne veulent
rien dire, mais donnent du cœur à l'ouvrage. Lui
ne disait rien. Pour son prochain anniversaire je
lui offrirai une poupée gonflable. Il gardait tout ce
qu'il sentait pour lui. Alors il jouit tout seul, et me
fit un bisou comme on en fait à son chat ou à son

chien quand il a été mignon. Puis, il se leva, but un verre d'eau et m'en proposa. Je grommelai :

— Non, merci. »

Il me regarda et fit une remarque que je n'espérais plus :

— Ben, t'as pas l'air en forme aujourd'hui.

— Non. »

La forme, je ne l'avais point. Mais lui qui ne fait rien pour rien ; lui, assourdi par les bruits de son cœur à force de s'écouter ; lui qui n'aime que lui-même, qui cherche son bonheur individuel dans sa liberté qu'enferme son Moi devenu un conteneur d'égoïsme, il ne perd pas une miette de lui-même. Ce n'est que faute de savoir quoi faire avec sa merde qu'il regarde les w-c l'avaler. Et lorsqu'il s'agrippait à moi, c'était à lui-même qu'il s'accrochait. Il avait peut-être peur de me voir m'enfuir avec ce bout de lui enfoncé en moi. J'aurais voulu avoir des dents dans le vagin pour lui arracher ce seul morceau de sa personne qui savait la nécessité du duo. Se doutait-il de mes pensées ? Je ne le saurai jamais, mais il n'avait pas payé ce fade dîner bio pour rien. Il est parti le chercher tout au fond de moi et vérifier l'état de mes entrailles qui stockaient ces produits qu'il avait choisis à la manière d'un bijoutier qui choisit ses pierres précieuses.

Lorsque je me relevai, la dame du *Sexe et l'effroi* me dardait toujours son regard. La terreur étalée sur son visage résumait tous les films d'Alfred Hitchcock. Était-ce une femme qui refusait de crier au moment de la jouissance pour empêcher la fuite de son âme par sa bouche ? Ou alors cette dernière étant fermée, son âme qu'un homme bousculait par le bas s'était-elle fendue en deux pour sortir de ses yeux, lui laissant ce regard déchirant ?

Je n'avais pas crié. Je n'avais pas non plus fermé la bouche. Je la regardais souvent parce que je ne voulais pas la voir. À côté du feu, elle devait avoir soif. Je demandai un verre d'eau au professeur.

La cheminée assistait au deuil de ses dernières flammes, le cœur noir de désespoir. Et je rêvais qu'un jour un homme me ferait jouir, même sans dîner de traiteur, juste en me disant *je t'aime*. Je pourrai ainsi oublier ce cœur de pierre qui ne respirait pas de sentiments. L'horreur, ce n'est pas *Le sexe et l'effroi*, mais le sexe froid.

TABLE

PRÉFACE————————————— 9

LA MENDIANTE ET L'ÉCOLIÈRE———— 13

MARIAGE VOLÉ————————— 39

LE VISAGE DE L'EMPLOI————— 61

LA PRÉFÉRENCE NATIONALE———— 83

CUNÉGONDE À LA BIBLIOTHÈQUE—— 99

LE DÎNER DU PROFESSEUR ———————115

PRÉSENCE AFRICAINE
LIVRES AU FORMAT POCHE

Chinua ACHEBE,	*Le monde s'effondre*
Amadou Hampaté BA,	*Aspects de la civilisation africaine*
Seydou BADIAN,	*Sous l'orage/La mort de Chaka*
	Noces sacrées
Mongo BETI,	*Le pauvre Christ de Bomba*
Olympe BHÊLY-QUENUM,	*Le chant du lac*
	Un enfant d'Afrique
Eza BOTO,	*Ville cruelle*
Ken BUGUL,	*Riwan ou le chemin de sable*
Aimé CÉSAIRE,	*Discours sur le colonialisme*
	La tragédie du roi Christophe
	Et les chiens se taisaient
Bernard B. DADIÉ,	*Le pagne noir*
L.-G. DAMAS,	*Pigments-Névralgies*
Massa M DIABATÉ,	*Janjon*
Birago DIOP,	*Les contes d'Amadou Koumba*
	Les nouveaux contes d'Amadou Koumba
David DIOP,	*Coups de Pilon*
Alioum FANTOURÉ,	*Le cercle des tropiques*
Jean IKELLE MATIBA,	*Cette Afrique-là*
Lamine KAMARA,	*Safrin*
Fodéba KEÏTA,	*Aube africaine*
Henri LOPÈS,	*Le Pleurer-Rire*
LOMAMI TCHIBAMBA,	*Ngando*
Jean MALONGA,	*La légende de M'Pfoumou*

Valentin. Y. MUDIMBE,   *Entre les eaux*
                            Shaba deux
Bernard NANGA,   *Les Chauves-souris*
NAZI BONI,   *Crépuscule des temps anciens*
Cheik Aliou NDAO,   *Buur Tileen, roi de la Médina*
Djibril Tamsir NIANE,   *Soundjata ou l'épopée*
                            mandingue
André RAPONDA-WALKER, *Contes gabonais*
Abdoulaye SADJI,   *Maïmouna*
                            Nini mulâtresse du Sénégal
                            Tounka
Williams SASSINE,   *Le jeune homme de sable*
                            Mémoire d'une peau
                            Saint Monsieur Baly
Joseph B. SEID,   *Au Tchad sous les étoiles*
Ousmane SEMBÈNE,   *Le docker noir*
                            L'Harmattan
                            Le mandat/Véhi Ciosane
                            Niiwam
                            Voltaïque/La noire de...
                            Xala
Wole SOYINKA,   *Les interprètes*
Placide TEMPELS,   *Bantu philosophy*
Joseph ZOBEL,   *La rue Cases-Nègres*

Collection Jeunesse   10 titres au format poche

Imprimé en France par CPI
en mai 2018

Dépôt légal : mai 2007
N° d'impression : 147567